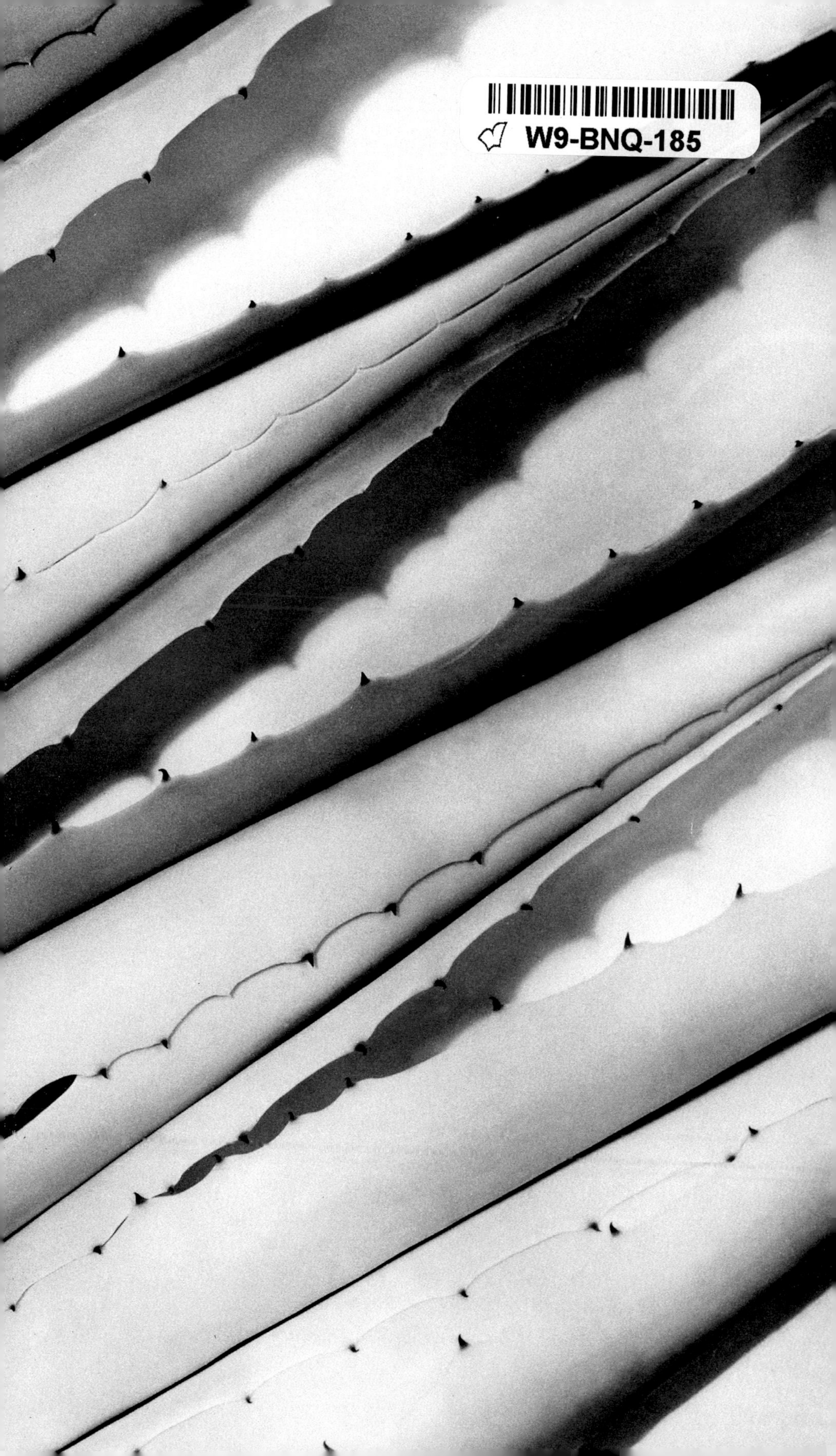

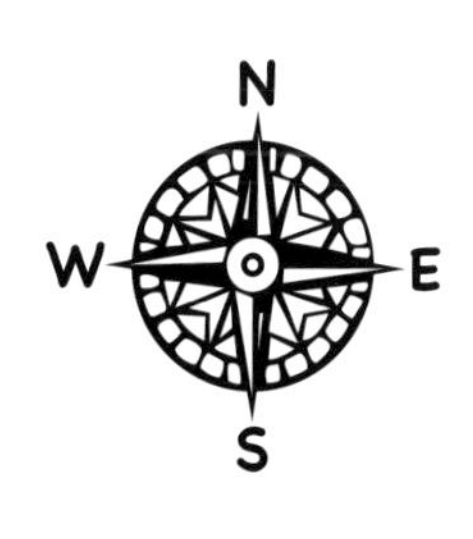

Guías Artes de México

Guía del tequila
Segunda edición, 2007

Primera edición, 1998

Idea original y dirección:
Alberto Ruy Sánchez y Margarita de Orellana
Coordinación editorial: Gabriela Olmos
Coordinación comercial: Laura Becerril
Redacción: María Luisa Cárdenas
Diseño: Yarely Torres
Asistente editorial: Sergio Hernández Roura
Corrección: Juan Carlos Atilano
Edición en inglés: Michelle Suderman
Traducción: Richard Moszka
Ilustraciones: Álvaro Rocha Buitrón
Ilustraciones del mapa y del proceso: José Garibay
Ilustraciones del recetario: Luis Manuel Serrano
Fotografía: Pablo Aguinaco, Gerardo Hellion, Dito Jacob,
Cecilia Salcedo, Patricia Tamés, Jorge Vértiz
Publicidad: Patricia Galindo, Minerva Godínez,
Luz Hernández, Alma Mendoza, Martha Ruy Sánchez,
Rosalía Santín

Algunos de los textos de la sección "Lo que un buen bebedor de tequila debe saber" fueron tomados de la exposición *Viva Tequila! A Traditional Art of Mexico*, Artes de México-Musearte, 2006.

ISBN: 970-683-226-2 / 978-970-683-226-9

Impreso en México

Nueva versión actualizada

New and updated edition

Índice

Contents

Editorial

Desde hace dos décadas, Artes de México se fijó como una de sus metas iniciales estudiar el tequila como un fenómeno eminentemente cultural. Mucho antes de que la producción de esta bebida tuviera el auge actual y que su consumo gozara del prestigio consecuente, Artes de México fue una empresa pionera en su valoración social y en la comprensión del fenómeno al publicar su número 27: *El Tequila, arte tradicional de México*, referencia siempre citada o calladamente utilizada en todas las publicaciones posteriores sobre el tema. Y mucho antes de que el paisaje agavero fuera reconocido por la UNESCO como Patrimonio de la Humanidad, publicamos sobre ese paisaje un libro ya clásico: *Jalisco, tierra del tequila.* Como ha ocurrido en otros temas, en éste Artes de México ha abierto terrenos, indicado líneas de estudio y proporcionado elementos para la creación estética y artesanal.

Consideramos que un proyecto editorial con éxito despierta en el público nuevas inquietudes y curiosidades. Así surgió la primera edición de nuestra *Guía del tequila*. En ella se respondían las preguntas más frecuentes que habíamos recibido, se mostraba cada marca importante, se incluía un directorio de productores y distribuidores, se ofrecían incluso algunas recetas de cocina. Su extrema utilidad la hizo merecedora de reconocimientos y de una difusión considerable dentro y fuera de México. Ahora, el crecimiento de la industria tequilera justifica esta nueva edición corregida y aumentada, que continuará siendo un instrumento indispensable para los que quieran gozar mejor del tequila y al mismo tiempo saber mucho de él.

Editorial

Two decades ago, Artes de México made it one of our primary objectives to study tequila as an eminently cultural phenomenon. Long before the boom we have seen in its production recently and before its consumption gained such prestige, Artes de México pioneered the social valuation and comprehension of this phenomenon by publishing our issue no. 27, Tequila: The Traditional Mexican Art, *a reference work that has been widely cited or quietly used in every subsequent publication on the subject. And long before the agave landscape was recognized by* UNESCO *as a World Heritage Site, we published a now-classic book about this region:* Jalisco: Land of Tequila. *As it has done so many times before, Artes de México has paved the way through this terrain, indicating new lines of investigation and providing inspiration for artistic and artisanal creativity.*

We believe that a successful publication should awaken the public's interest and curiosity. And this is how the first edition of our Guide to Tequila *originated. It provided answers to some of the most frequent questions we had received from our readers, gave equal importance to each brand, included a directory of producers and distributors, and even offered some recipes using tequila. Its usefulness was widely acclaimed, and it achieved a considerable distribution within Mexico and abroad. The continued growth of the tequila industry has justified a newly expanded and updated edition that will be an indispensable tool to all those who wish to improve both their tequila-drinking experience and their knowledge of this spirit.*

Lo que un buen bebedor de tequila debe saber

Margarita de Orellana

Everything a Good
Tequila Drinker
Should Know

Margarita de Orellana

¿Qué es el tequila?

El tequila es una bebida mexicana. Un aguardiente cuyo sabor es como un río que quema. Su origen es una planta que marca el paisaje mexicano, el agave azul.

Ha heredado su nombre del valle de Jalisco en el que esta bebida se ha producido por siglos. También es el nombre de un cerro y de la pequeña ciudad donde se encuentran varias destilerías de este bravo aguardiente.

Su designación tiene origen náhuatl. Proviene de *tequitl*, que quiere decir trabajo u oficio y *—tlan*, que significa lugar. Así, el tequila invoca a un oficio laborioso y al lugar donde se ejecuta. También alude al trabajo específico de cortar las plantas, pues la palabra tequio se refiere a la tarea de los hombres del campo.

A semejanza de la nación mexicana, el tequila nació mestizo: del agave americano, que ya era utilizado para obtener bebidas fermentadas, y de los alambiques llegados de Europa, portadores de una herencia arábiga. Durante muchos años se conoció como vino de mezcal o mezcal tequila, pues *mezcal* o *mexcal* era uno de los nombres del agave.

What is tequila?

Tequila is a Mexican liquor that tastes like a burning river. It is derived from a plant that has defined the Mexican landscape: the blue agave.

Tequila inherited its name from the Jalisco valley where this beverage has been produced for centuries. It is also the name of a mountain and the town which is home to several distilleries that produce this robust liquor.

The name is Náhuatl in origin, deriving from tequitl, *which means work or trade, and* tlan, *which means place. So even its name evokes its laborious production process and the place where it is carried out. It also alludes to the specific task of cutting the plants, as the word* tequio *means fieldwork.*

Tequila, like Mexico itself, was born mestizo: from the American agave, which had already been used to make alcoholic beverages, and from European stills, themselves of Arabic origin. For many years it was known as "mezcal wine" or "mezcal tequila," since mezcal *or* mexcal *is another Náhuatl term for agave.*

¿Cuál es la diferencia entre tequila y mezcal?

En algunos lugares de México se obtienen aguardientes al destilar los fermentos de las distintas variedades de agave. Estos licores reciben el nombre genérico de mezcal, aunque también pueden tener denominaciones particulares, como el limeño, la raicilla, el pata de mula, el bovicornuta y el cupreata, entre otros. El tequila se obtiene de la destilación de los fermentos del agave *Tequilana Weber* de variedad azul.

Por lo general, los mezcales se consideran productos terminados después de una destilación. El tequila, en cambio, requiere por lo menos de dos destilaciones, además debe ser filtrado meticulosamente para eliminar impurezas y suavizar su sabor. Gracias a este proceso el tequila es una bebida cristalina y pura, a diferencia del mezcal, que suele tener un color más concentrado y un sabor más agresivo.

Con frecuencia, el mezcal tiene un sabor ahumado, debido a la costumbre de quemar las piñas en un horno de piso, bajo tierra. De hecho, en ocasiones se busca ese sabor como una de sus cualidades.

What is the difference between tequila and mezcal?

In some regions of Mexico, liquor is obtained by distilling the fermented juices of different types of agave. These spirits are generically known as mezcal, though some also have specific names such as limeño, raicilla, pata de mula, bovicornuta *and* cupreata. *Tequila is a product of the fermentation and distillation of* Agave tequilana Weber, *blue variety.*

A mezcal is generally considered to be a finished product after a single distillation, whereas tequila requires at least two distillations and careful filtration to remove any impurities and to give it a smoother flavor. This process results in a clear, pure beverage, unlike mezcal which usually has a deeper color and more aggressive taste.

Mezcal often has a smoky flavor resulting from the practice of roasting the agave hearts in a pit oven. Indeed, it is often considered to be a desirable feature in a mezcal.

¿Qué es el agave azul?

El tequila se obtiene de la destilación del agave *Tequilana Weber* de variedad azul, de hojas fibrosas de forma lanceolada y color verde azulado. Ésta es una de las 273 especies descritas de la familia de las agaváceas.

El agave *Tequilana Weber* de variedad azul crece a 1 500 metros sobre el nivel del mar, en un suelo arcilloso, permeable y abundante en elementos derivados del basalto, con una gran riqueza de hierro, y preferentemente volcánico. El clima de las regiones donde crece esta planta es semiseco, lo que quiere decir que no hay en la zona más de 100 días nublados al año, aunque lo ideal es que éstos se limiten a 65. Su temperatura oscila alrededor de los 20 grados centígrados.

La maduración del agave *Tequilana Weber* de variedad azul suele tardar entre 7 y 12 años. Florece sólo una vez en la que emite un tallo largo, de casi 10 metros de altura, y se reproduce a partir de retoños, llamados hijuelos, que nacen en su base.

Esta planta debe su nombre al naturalista Franz Weber, quien llegó a México hacia 1896. Este científico alemán se dedicó a estudiar la flora occidental del país y destinó seis años de su trabajo a conocer las especies más adecuadas para la producción del tequila. En 1902 se decidió por el agave *Tequilana Weber* de variedad azul, y le dio su nombre.

What is blue agave?

Tequila is obtained from the distillation of Agave tequilana Weber, *blue variety, whose fibrous spiky leaves are blue-green in color. It is one of 273 identified species of the* Agavaceae *family.*

Agave tequilana Weber, *blue variety, grows at 1 500 meters above sea level, in a clayey, permeable, preferably volcanic soil with a high content of basaltic elements and iron. This plant thrives in a semiarid climate, meaning that there should be no more than 100 cloudy days a year—though ideally, this number should not exceed 65—with an average temperature of 20 degrees Celsius.*

It takes seven to twelve years for a Weber's blue agave to mature. It flowers only once in its life, with a stalk that can grow up to ten meters high. Reproduction is by means of basal offshoots.

The plant got its name from the German naturalist Franz Weber, who arrived in Mexico around 1896. He devoted himself to the study of the flora of western Mexico, and spent a full six years investigating the best agave species for the production of tequila. In 1902, he settled on Agave tequilana Weber, *blue variety, which now bears his name.*

¿Dónde y cuándo se establecieron las destilerías?

No existen documentos sobre los primeros alambiques tequileros. Sin embargo, ya en 1538 el gobernador de Nueva Galicia, territorio que abarcaba las tierras que hoy día corresponden a Jalisco, estableció una ley para controlar la producción de lo que entonces se llamaba vino mezcal. Se sabe que, en el siglo XVI, Pedro Sánchez de Tagle, marqués de Altamira, hizo crecer pencas de agave en el valle de Tequila y estableció formalmente una destilería o taberna en la hacienda de Cuisillos. En 1578, la familia Cuervo y Montaño fundó una destilería en la hacienda de Arriba. En 1785, el virrey Matías de Gálvez logró que el rey de España prohibiera la fabricación y venta de bebidas embriagantes, medida que duró una década. Una vez abolida esta orden, en 1795, José María Guadalupe Cuervo fundó una destilería en la Cofradía de las Ánimas, que se llamaría después Taberna de Cuervo, y que es el origen de la actual Casa Cuervo. Tequila Sauza se fundó en 1873, y Tequila Herradura en 1870.

Where and when were the first distilleries founded?

There is no existing documentation regarding the first tequila distilleries. But in 1538, the governor of Nueva Galicia—a territory that included present-day Jalisco—created a law to control production of what was known as vino mezcal. *Also in the sixteenth century, Pedro Sánchez de Tagle, the marquis of Altamira, began growing agave in the Tequila Valley and opened a distillery on the Hacienda de Cuisillos. In 1578, the Cuervo y Montaño family opened a distillery on the Hacienda de Arriba. In 1785, Viceroy Matías de Gálvez was able to persuade the king of Spain to ban the manufacture and sale of alcoholic beverages, but this policy only lasted a decade. After the order was lifted in 1795, José María Guadalupe Cuervo founded a distillery at La Cofradía de las Ánimas, which would later be renamed Taberna de Cuervo—the predecessor of the present-day firm of Casa Cuervo. Tequila Sauza was founded in 1873 and Tequila Herradura in 1870.*

¿Qué destilerías existen actualmente?*

Para adentrarse en el mundo del tequila, un viajero puede visitar algunas destilerías antiguas y ciertas fábricas en funciones, en cuya arquitectura ecléctica se percibe la necesidad de los productores de adaptarse a la modernidad. A continuación les presentamos algunas que se ubican en la zona protegida por la UNESCO.

Tequila

En este municipio se pueden visitar los vestigios de la antigua hacienda **Santa Ana**, con elementos neoclásicos y aires que evocan la arquitectura gótica; los de la antigua hacienda **San Martín de las Cañas**, que fuera propiedad de Cenobio Sauza en la última mitad del siglo XIX; los restos de la antigua hacienda **San Juan de Dios de las Chorreras**, en la que se instaló una de las primeras destilerías de la región, y la antigua hacienda **La Estancita**, con elementos barrocos que datan del siglo XVIII. También pueden conocerse las ruinas de las fábricas **La Castellana** y **Morra**, en cuya maquinaria podemos percibir las glorias de sus 130 años de producción.

En Tequila también se pueden visitar destilerías en funcionamiento, entre ellas, **La Rojeña**, fundada en 1795, y la taberna **José Cuervo**, que muestra el aspecto que tenían las fábricas antiguas de la región. Ambas son propiedad de Casa Cuervo.

---

* La información de las destilerías de Tequila, El Arenal, Amatitán y Magdalena fue tomada de Ignacio Gómez Arriola (coord.), *El paisaje agavero y las antiguas instalaciones industriales de Tequila*, Cámara Nacional de la Industria Tequilera-Instituto Nacional de Antropología e Historia-Secretaría de Cultura del Gobierno del Estado de Jalisco, Guadalajara, 2006.

What tequila distilleries exist today?*

Travelers interested in exploring the world of tequila may wish to visit some of the old distilleries and factories that continue to operate to this day, and whose eclectic architecture stems from tequila-producers' need to adapt to changing times. Following is an introduction to some of these distilleries, but eager travelers will undoubtedly find others that are just as fascinating.

Tequila

In the municipality of Tequila, one can visit the ruins of the old Hacienda **Santa Ana**, *which features neoclassic elements and faint hints of Gothic architecture; the ruins of the Hacienda* **San Martín de las Cañas**, *which was owned by Cenobio Sauza in the latter half of the nineteenth century; the ruins of the Hacienda* **San Juan de Dios de las Chorreras**, *site of one of the first distilleries in the area; and* **La Estancita**, *an eighteenth-century hacienda featuring baroque elements. Also worth visiting are the ruins of the* **La Castellana** *and* **Morra** *factories, featuring equipment and machinery used as many as 130 years ago.*

There are many working distilleries in this municipality, including **La Rojeña**, *founded in 1795, and* **La Taberna José Cuervo**, *which is a good example of what the factories in the region once looked like. Both properties are owned by Casa Cuervo.*

**Information on the distilleries of Tequila, El Arenal, Amatitán and Magdalena was taken from Ignacio Gómez Arriola (coordinator),* El paisaje agavero y las antiguas instalaciones industriales de Tequila *(Guadalajara: Cámara Nacional de la Industria Tequilera / Instituto Nacional de Antropología e Historia / Secretaría de Cultura del Gobierno del Estado de Jalisco, 2006).*

También puede recorrerse la destilería **La Perseverancia**, fundada por Cenobio Sauza en 1873, en la que se fusionan los estilos arquitectónicos desde el neoclásico hasta el funcionalismo. En la antigua hacienda de Santa Fe, conocida después como La Fortaleza, y actualmente como **Villa Sauza**, el visitante podrá conocer las cuevas que servían como refugio durante la guerra cristera, y que hoy día se utilizan como bodegas de alambiques.

Frente a los antiguos lavaderos comunales de ropa se ubica la destilería **La Mexicana**, en la que se produce el tequila Orendain. Y, finalmente, en una construcción ubicada en el sitio que ocuparon las antiguas tabernas de la congregación del mismo nombre, encontrará la modernidad industrial de la destilería **La Cofradía**.

El Arenal

En el municipio de El Arenal pueden visitarse los vestigios de la antigua hacienda **El Carreño**, que estuvo dedicada a la ganadería y a la siembra de algunos productos, como el agave. Esta construcción conserva algunos elementos arquitectónicos del neoclásico y ciertos vestigios del barroco, correspondientes a la primera época de la edificación.

También pueden visitarse la antigua hacienda **La Providencia**, ubicada en el margen del río que cruza la localidad, cuya fábrica conserva toda su maquinaria; la antigua hacienda **La Parreña**, con una capilla construida bajo los esquemas formales del *Art nouveau*; la antigua hacienda **La Calavera**, en cuya antigua casona hay un mural que evoca algún puerto de la España del siglo XIX, y la antigua hacienda **Santa Quitería**.

En este municipio aún funciona la destilería **La Escondida**, cuya taberna fue transformada para producir tequila bajo los sistemas industrializados de molienda, fermentación y destilación.

Tequila is also home to the **La Perseverancia** *distillery, founded by Cenobio Sauza in 1873, which features an interesting fusion of architectural styles, ranging from neoclassicism to functionalism. The old Hacienda de Santa Fe later came to be known as La Fortaleza, and then by its current name,* **Villa Sauza**. *Here, visitors can tour the caves that served as hideouts during the Cristero War, and are used today as still rooms.*

Across from the communal wash areas where townspeople used to do their laundry is the **La Mexicana** *distillery which produces Tequila Orendain. And finally, a more recent construction on the very site where Orendain's distilleries were once located provides visitors with a glimpse of industrial modernity—the* **La Cofradía** *distillery.*

El Arenal

The municipality of El Arenal is home to the ruins of the Hacienda **El Carreño**, *devoted to raising livestock and cultivating crops such as agave. Its architecture features neoclassical elements with some baroque details that formed part of the original construction.*

Also open to visitors is the Hacienda **La Providencia**, *which has all its original equipment and machinery, located on the banks of the river that runs through this area; the Hacienda* **La Parreña**, *featuring an Art Nouveau chapel; the Hacienda* **La Calavera**, *whose main house features a mural representing an unidentified nineteenth-century Spanish port, and the old Hacienda* **Santa Quitería**.

Working distilleries in this municipality include **La Escondida**, *whose facilities were modernized for the industrial pressing, fermentation and distillation of tequila.*

Amatitán

En lo profundo de la barranca del río Grande y entre los arroyos El Tequila y La Colmena, se ubica la antigua hacienda **San Antonio del Potrero** que, según la inscripción de la capilla doméstica, se edificó a petición de Don Lázaro Gallardo, en 1849. Con elementos neoclásicos y neomudéjares, esta edificación es un deleite para el visitante, pues conserva la carpintería, la herrería y otros detalles originales de la época en que fue construida.

En esta misma barranca se ubican las destilerías **Los Tepetates, Achio, El Conta** y **El Castillo** en las que se fabricaba tequila de manera clandestina, pues al ser de difícil acceso, sus propietarios evitaban los pagos de los impuestos asignados a la bebida.

Amatitán alberga múltiples destilerías en funciones, entre ellas, la antigua hacienda **San José del Refugio**, donde se fabrica Tequila Herradura. Este conjunto amurallado resguarda uno de los ejemplos mejor preservados de las antiguas instalaciones industriales tequileras, y aún sigue siendo el escenario en el que se destila este fino licor.

Magdalena

En el municipio de Magdalena se encuentra la antigua hacienda **Huitzilapa**, a escasos quinientos metros de la autopista Tepic-Guadalajara. Productor de tequila en los primeros años del siglo XX, en este conjunto arquitectónico sorprenden, por su buen estado de conservación, la casona y la capilla dedicada a la Santísima Concepción.

Amatitán

The Hacienda San Antonio del Potrero *is situated at the bottom of the Río Grande ravine, between La Tequila and La Colmena creeks. According to an inscription in the household chapel, it was built by Lázaro Gallardo in 1849. Featuring neoclassic and neo-Mudejar elements, this construction will delight visitors as it conserves the original woodwork, metalwork and other design details dating to the time of its construction.*

Los Tepetates, Achio, El Conta *and* El Castillo *were clandestine tequila distilleries located in the same ravine, given that the difficulty of access allowed their proprietors to avoid paying the taxes usually levied on tequila manufacturers.*

Amatitán is also home to many working distilleries, including the former Hacienda San José del Refugio *which produces Tequila Herradura. This walled compound includes one of the best preserved examples of an old industrial tequila distillery.*

Magdalena

The Hacienda Huitzilapa *is located in the Magdalena municipality, only half a kilometer from the Tepic-Guadalajara highway. The most interesting and best-preserved buildings of this early-twentieth-century distillery are the main house and the chapel, dedicated to the Holy Conception.*

¿Cuándo se empezó a exportar el tequila?

Desde el siglo XVI, las destilerías de la región de Jalisco exportaron su bebida a las principales ciudades y zonas mineras del actual territorio mexicano. Por tierra llegaban a las ferias de otras regiones y a los puertos, principalmente al de San Blas, fundado en 1768. Un viajero, José Longinos Martínez, escribió en 1792 un diario de su recorrido desde la ciudad de México hasta San Blas, donde cuenta que, entre Amatitán y Tequila, el paisaje estaba cubierto de agaves, y que desde ahí muchos miles de barriles de vino mezcal se embarcaban cada año. Alrededor de 1870, el tequila llegaba a Estados Unidos en carreta. El ferrocarril aceleró la expansión del comercio tequilero y la modernización industrial de las principales destilerías estuvo ligada a su exportación. Actualmente, el tequila es uno de los más importantes productos de exportación de México.

When did the exportation of tequila begin?

The distilleries of Jalisco began exporting their products to major cities and mining regions of Mexico in the sixteenth century. They were transported over land to town fairs and ports, in particular that of San Blas which was founded in 1768. In 1792, José Longinos Martínez wrote about his trip from Mexico City to San Blas in his travel journal. He mentions that the landscape from Amatitán to Tequila was covered in agaves, and that the region exported thousands of barrels of vino mezcal *every year. By around 1870, tequila was being shipped to the United States by horse-drawn cart, until the railroad began to accelerate the expansion of tequila consumption. The modernization and industrialization of tequila production also contributed to its increased exportation. Tequila is currently one of Mexico's main exports.*

¿Cómo se hace el tequila?
How is tequila made?
1
Siembra
Planting
2
Jima
Harvesting
5
Fermentación
Fermentation

3
Cocción
Baking
4
Molienda
Pressing
6
Destilación
Distillation
7
Añejamiento
Aging
8
Embotellado
Bottling

¿Cómo se hace el tequila?

1 Siembra

El proceso de elaboración del tequila se inicia cuando los hijuelos del agave *Tequilana Weber* de variedad azul son plantados en una parcela. Tomará de 7 a 12 años para que el agave madure y sus azúcares se asienten. Una cabeza madura de agave puede pesar de 36 a 136 kilogramos.

2 Jima

Una vez que las plantas del agave están maduras, se inicia el proceso de cosecha, conocido tradicionalmente como jima. Éste consiste en cortar las hojas de la planta al ras de la base, para dejar únicamente la cabeza o corazón del agave, también llamada piña.

Estas piñas son transportadas hasta la fábrica donde serán cortadas a la mitad para seguir adelante con el proceso. De diez kilogramos de piña se puede extraer un litro de tequila 100% agave.

3 Cocción

Durante la cocción de las piñas los carbohidratos complejos se convierten en azúcares simples y se ablandan las fibras para facilitar la extracción de los azúcares para la fermentación.

Tradicionalmente, la cocción se hacía en hornos de ladrillo o mampostería que funcionaban por inyección de vapor, en un proceso que duraba entre 50 y 72 horas. Actualmente, se realiza en tanques de acero de varias toneladas de capacidad, conocidos como autoclaves. La capacidad hermética de este equipo reduce el tiempo de cocción, que ahora toma entre ocho y catorce horas.

How is tequila made?

1 *Planting*

Tequila's production process begins when the basal offshoots of Agave tequilana Weber, *blue variety, are planted. It takes from seven to twelve years for the agave to mature and for its sugars to settle. A mature agave heart can weigh anywhere from 36 to 136 kilograms.*

2 *Harvesting*

Once the agave plants are mature, the harvesting process begins, traditionally known as la jima. *The plant's leaves are cut off at the base, leaving only the agave core or heart, also known as the* piña *because of its resemblance to a large pineapple.*

These hearts are transported to the factory where they are cut in half to continue the process. Ten kilos of agave hearts yield one liter of 100% *pure agave tequila.*

3 *Baking*

The next step is to bake the agave hearts in an oven. This process converts the complex carbohydrates into simple sugars and softens the plant fibers to facilitate the extraction of sugars for fermentation.

Baking was traditionally done in brick or stone ovens that worked by means of vapor injection, in a process that lasted between fifty and seventy-two hours. Nowadays, it is done in steel tanks with a capacity for several tons, known as autoclaves. As they are hermetically sealed, they reduce cooking time to between eight and fourteen hours.

4 Molienda

Una vez cocidas, las piñas son cortadas en pequeños trozos que se prensan para extraer el jugo del agave, llamado mosto fresco.

Antiguamente, la extracción se realizaba por medio de una piedra circular, llamada tahona. Hoy día, el proceso se lleva a cabo mediante trenes de molienda de varias etapas, que obtienen el mosto ayudados de un proceso de inyección de agua.

Las mieles extraídas son captadas en depósitos y transportadas por tuberías a las tinas de formulación (para la elaboración del tequila) o de fermentación (para la elaboración del tequila 100% agave), según sea el caso.

5 Fermentación

Antiguamente, la fermentación se hacía en grandes recipientes de madera. Hoy día el proceso se lleva a cabo en tinas de acero inoxidable, donde se vierten las mieles y se agregan agua, levaduras y nutrientes.

El mosto vivo en plena fermentación es efervescente, y su movimiento cesa cuando las levaduras terminan de convertir el azúcar en alcohol y otros productos. En ese momento se acostumbra decir que "el mosto está muerto".

Una vez que ha concluido el proceso normal de fermentación y el mosto ha alcanzado una gradación alcohólica de entre cinco y siete por ciento, éste tiene que reposar unas horas para ser transportado, por medio de tuberías, a los alambiques de destilación.

6 Destilación

La destilación es el procedimiento mediante el cual los fermentos son separados, por calor y presión, en productos de riqueza alcohólica (tequila) y vinazas, que son desechadas. Normalmente se realiza en alambiques de cobre o acero inoxidable, o incluso en torres de destilación continua.

4 Pressing

Once cooked, the agave hearts are cut into small pieces which are pressed to extract the agave juice, called mosto fresco, *or "fresh must."*

In the past, extraction was carried out using a circular grindstone called a tahona. *Today, it is done in several stages, in which the agave is ground more and more finely until it produces the must, with the help of water injection.*

The extracted juices drain into vats and then pass through pipes into formulation tanks (where blended tequila is made) or fermentation tanks (for the production of 100% agave tequila), as the case may be.

5 Fermentation

In the past, fermentation took place in large wooden containers. Today it is done in stainless steel vats where water, yeast and nutrients are added to the agave juices.

Active must in the process of fermentation is bubbly. Its effervescence ceases when the yeasts have finished turning the sugars into alcohol and other products. At that moment, the must is said to be inactive.

Once the normal fermentation process has concluded and the must has achieved an alcohol content of five to seven percent, it is allowed to sit for several hours before it is piped into the alembics or stills.

6 Distillation

Distillation is the process by which the application of heat and pressure separates the fermented juices into alcoholic products (tequila) and other components (dregs) which are discarded. Distillation is normally done in copper or stainless steel alembics, or sometimes in continuous distillation columns.

En la elaboración del tequila son necesarias dos destilaciones: la primera, llamada destrozamiento, y la segunda, rectificación. El tequila que se recibe del destrozamiento o primera destilación se llama "tequila ordinario", y tiene una gradación alcohólica de alrededor de 20%. Con la rectificación, se incrementa la riqueza alcohólica y se eliminan los productos indeseables, con lo que se obtiene el tequila blanco, una bebida transparente y pura.

7 Añejamiento

Para cumplir un proceso de añejamiento, el tequila blanco se deposita en pipones o barricas, donde la bebida madura un tiempo variable, según el tipo de tequila que se desea obtener. Para los tequilas reposados y añejos, necesariamente deben utilizarse barricas con una capacidad máxima de 600 litros, que se guardan en bodegas durante el periodo de maduración.

Las barricas en las que el tequila madura suelen ser de roble blanco, americano o francés, lo que da a la bebida su color dorado. Pueden ser nuevas o previamente utilizadas para otro tipo de bebidas. También pueden haber sido sujetas a un tratamiento de tostado o de quemado, que transmitirá características distintas al tequila.

8 Embotellado

Para garantizar la calidad de este fino destilado, la Norma Oficial Mexicana (NOM) estableció en 1994 que un tequila 100% agave debe ser envasado de origen, lo que quiere decir que debe ser embotellado en la planta que controle el fabricante y que debe estar ubicada en la zona de denominación de origen. Y esto debe quedar constatado en la etiqueta.

Two distillations are necessary in the elaboration of tequila, the first called destructive distillation and the second, rectification distillation. The tequila produced by the first distillation is called ordinario *and has about twenty percent alcohol per volume. With rectification, the alcohol content is increased and undesired components are eliminated, producing* blanco *or "white" tequila, which is purer and more transparent than* ordinario *tequila, and has an alcohol content of about fifty-five percent.*

7 Aging

To carry out the aging process, blanco tequila is poured into wooden barrels or vats where it remains for a period of time that varies according to the desired type of tequila. For reposado *and* añejo *tequila, the barrels should hold no more than 600 liters.*

Tequila is generally aged in either French or American white oak barrels, which give the liquor its distinctive golden color. They may be new or they may have been used for other kinds of spirits. They may also be treated by charring or "toasting" the inside, which will give the tequila a different flavor.

8 Bottling

*To guarantee the quality of tequila, the 1994 Official Mexican Standard (*Norma Oficial Mexicana, *or* NOM*) established that a 100% pure agave tequila must be bottled at the manufacturer's plant, which must be located within the protected designation of origin area. The label must also bear the phrase* "envasado de origen" *(bottled on site).*

¿Quiénes son los protagonistas del tequila?

Los nacidos en las regiones tequileras se han visto involucrados, por generaciones, en la elaboración de esta fina bebida. Por eso, los campos de agave y las destilerías parecieran estar habitados por personajes de carácter que, a pesar de la modernidad, conservan algunos matices de la vida campirana antigua. Gracias a ellos, el tequila sigue siendo un arte tradicional.

1. El jimador

El jimador se encarga de cosechar las pencas cuando éstas han alcanzado su madurez. Sabe si los agaves ya se encogieron y están listos para la jima. Si están pasados de madurez, si están plagados, etcétera. Un jimador experimentado puede recolectar más de una tonelada de piñas al día.

Según Don Ceferino, jimador de Casa Cuervo, "para ser bueno en este oficio, hay que tener tacto para cortar las hojas de la piña. Hay que hacerlo de un solo golpe y a la misma medida, porque si no se sabe hacerlo y se le golpea más alto, se tienen que repetir otros dos golpes para emparejarla".

Who are the people that make tequila?

Generations of families from tequila-producing regions have been involved in manufacturing this fine liquor. Agave fields and tequila distilleries seem to be inhabited by people who, in the face of advancing modernity, have preserved certain aspects of rural life from the past. Thanks to them, tequila production remains a traditional art.

1. The Jimador

The jimador *is responsible for harvesting the agave once it has reached maturity. At a glance, a good jimador knows which agaves are ripe and ready for harvesting. He can also identify those that are overripe, diseased and so forth. An experienced jimador can harvest over a ton of agave hearts each day.*

According to Don Ceferino, a jimador at Casa Cuervo, "To be good at this job, you need to have a sense of how to cut the leaves off the heart. It should be done with a single blow, and at just the right spot, because if you're inexperienced and cut the leaf off too high, then you need two more blows to get it right."

2. El cargador

Con un sombrero plano de vaqueta y un cinturón ancho que estiliza sus cuerpos y protege su espalda, los cargadores recorren los campos de agave y las destilerías con gran destreza.

"Si el cargador no tiene el modo de levantar, la experiencia o el colmillo, no lo logrará. La piña se carga en la cabeza y hay mucho que caminar. En el patio de la fábrica es más fácil porque es terreno de cemento. Pero en el campo y en tiempos de agua, te puede pasar que se te suma un pie, e incluso que andes resbalando", decía Don Ceferino sobre este complicado oficio.

3. El hornero

Pese a que el oficio más conocido del mundo del tequila es el de jimador, la elaboración de esta bebida no sería posible sin la labor precisa de quienes trabajan en los hornos. José López Portillo y Rojas, en su cuento "Nieves", describe así la labor de estos trabajadores: "Para cocer el mezcal levántase en el fondo una pirámide de leña encendida; en torno de ella, colócanse las cabezas partidas de una manera simétrica, hasta llegar a la superficie del suelo; enseguida se tapa el horno y se saca el mezcal ya cocido, o tatemado, que ha cambiado de color".

4. El maestro tequilero

El maestro tequilero es el verdadero alquimista del tequila. Él sabe cómo madura el destilado en las barricas. Sabe cuándo la bebida ha alcanzado los matices más exquisitos, y sabe cómo mezclar sus mieles para obtener el licor más sofisticado. Por eso su tarea será balancear los sabores para mantener la calidad de los tequilas añejos y extra añejos.

2. The Porter

Wearing flat cowhide hats and wide belts that stylize their bodies and protect their backs, the porters move through the agave fields and the distilleries with true grace and skill.

"If the porter doesn't have the skill, experience or know-how, he'll never manage," says Ceferino about the people who carry out this difficult task. "That huge heart has to be carried on your head, and it's a long way to walk. In the factory yard, it's easier, because it's an open area with a cement floor. But in the field, especially during the rainy season, your feet sink into the ground and you can even slip."

3. The Baker

While the most recognized trade in the tequila industry is that of the jimador, this sophisticated beverage's manufacture would not be possible without the exacting labor of the individuals who operate the ovens. In a short story entitled "Nieves," José López Portillo y Rojas describes their work as follows: "To cook the mezcal, pile burning firewood into a pyramid at the bottom [of the pit] and place the split agave hearts around it symmetrically until they reach ground level. Cover the pit oven immediately. When the cooked hearts are removed, they will be a different color, changing from white to dark yellow."

4. The Master Taster or Tequila Master

The master taster is a true alchemist of tequila. He knows exactly how this liquor ages in the barrels and at what point it has achieved the perfect flavor. He also knows how to blend tequilas to create a more sophisticated flavor. To do so, he must balance the essences in such a way that the quality of añejo and extra-añejo tequilas is maintained.

¿Cuál es la mejor forma de beber tequila?

Tradicionalmente el tequila se ha bebido en el llamado caballito, un pequeño vaso de vidrio, de forma cilíndrica, con la base más estrecha que la boca. No hay certeza de su origen, pero su antecedente inmediato son los cuernos de toro que se utilizaban en las fábricas de tequila, también llamadas tabernas, para probar el licor recién salido del alambique. El caballito es una simplificación en vidrio del cuerno con la base achatada, para poder pararlo en la barra o en la mesa.

En fechas recientes, la casa suiza Riedel reunió a un grupo de maestros tequileros para que juntos desarrollaran una copa en la que el tequila pudiera ser degustado sin perder su bravo sabor, ni sus matices aromáticos. De esas reuniones nació la llamada copa Riedel, que realza los tonos de este fino destilado.

What is the best way to drink tequila?

Tequila is traditionally drunk out of a small, cylindrical glass with a wider mouth than base, known as a caballito. *Its origins are unclear, but it appears to be a direct descendent of the hollowed-out bulls' horns used in tequila factories in the past to taste the liquor right out of the still. The caballito is a simplified glass version of a horn with a* sawed-off *tip that allowed it to be set on a bar or table.*

More recently, the Swiss glassware manufacturer Riedel brought together a group of tequila distillers to develop a glass that would allow the tequila to be savored without losing any of its robust flavor or aromatic qualities. These meetings resulted in the so-called Riedel glass, which enhances the subtle notes of this fine spirit.

¿Qué tipos de tequila hay?

Se puede hablar de varios tipos de tequila: blanco, joven, reposado, añejo y extra añejo. El tequila blanco es transparente como el agua. Se obtiene inmediatamente después de la segunda destilación. Muchos conocedores lo prefieren porque su sabor es más puro. El tequila joven contiene azúcar quemada y colorante artificial, con lo que se suaviza su sabor. El reposado se obtiene después de haber conservado el tequila blanco por lo menos dos meses en barricas. Su coloración tiende a ser levemente similar a la de la madera. Su sabor es ligeramente más suave que el del blanco. Es el más consumido. El tequila añejo madura por lo menos un año en barricas de madera. Para quienes beben tequila por primera vez, tal vez este tipo sea el más recomendable. El tequila extra añejo madura de tres a cinco años en barricas. Por eso, en este licor el sabor de la madera predomina sobre el del agave.

What kinds of tequila are there?

There a several kinds of tequila: blanco, joven, reposado, añejo *and* extra-añejo. *Blanco tequila is crystal-clear. It is obtained from the second distillation. Many connoisseurs prefer it for its pure flavor. Joven tequila contains artificial color and burnt sugar, which gives it a smoother flavor. Reposado tequila is produced from blanco tequila which has been aged in barrels for no less than two months. It has a woody color and a slightly smoother flavor than blanco, and is the most popular kind of tequila. Añejo tequila is aged at least one year in wooden barrels. It is widely recommended as the best tequila for first-time drinkers. Extra-añejo tequila is aged in barrels for three to five years, resulting in a woody flavor which predominates over that of the agave.*

¿Qué es 100% agave?

Un tequila es puro cuando está hecho por completo de mieles derivadas del agave *Tequilana Weber* de variedad azul. Entonces ostenta en su etiqueta la leyenda "100% agave".

Cuando un tequila no señala esto en su etiqueta, es un tequila mixto, en el que una proporción del azúcar obtenida del agave se mezcló con otros azúcares durante su elaboración.

Durante muchos años existió en México una norma que permitía que los tequilas tuvieran un mínimo de 51% de agave y un máximo de 49% de otros azúcares. Desde hace algún tiempo, sin embargo, la norma exige que, para ser llamado tequila, un destilado debe ser al menos 60% de agave.

What does 100% agave mean?

Pure tequila is made only from the juices derived from Agave tequilana Weber, *blue variety, and its label bears the legend "100% agave."*

If a tequila label does not bear the 100% agave legend, it is a blended tequila, meaning that the agave juices have been combined with sugars from other sources.

For many years, Mexican regulations allowed tequilas to contain a minimum of 51% agave and a maximum of 49% other sugars. But the regulations were modified some time ago, and now, in order to be considered tequila, a distillate must contain a minimum of 60% agave.

¿Qué cocteles se preparan con tequila?

El más popular de los cocteles de tequila es el Margarita, que se sirve en una copa coctelera con el borde cubierto de limón y sal. Generalmente se mezcla el tequila con jugo de limón, Cointreau y hielo picado, aunque existe una gran variedad de combinaciones. Esta popular bebida multiplicó el consumo de tequila en el mundo, sobre todo en Estados Unidos. Son muchos los bares y las personas que se atribuyen su invención. Una de las historias más conocidas señala que fue Margaret Sames, una mujer texana, quien la ofreció por primera vez a sus invitados en su casa de Acapulco. Otra cuenta que Carlos "Danny" Herrera, de Tijuana, la preparó en honor de Marjorie —Margarita— King, una incipiente actriz que no podía tomar otra bebida alcohólica que no fuera tequila... y Cointreau. Existen algunas preparaciones embotelladas, pero siempre goza de más aceptación el Margarita hecho en el momento.

Pero éste no es el único coctel que puede prepararse con tequila. También están el llamado Charro negro, que se consigue mezclando tequila con refresco de cola; la tradicional Paloma, para la que se utilizan refresco de toronja, jugo de limón y tequila, y el muy famoso Tequila Sunrise, que se elabora con tequila, jugo de naranja y granadina.

What cocktails are prepared with tequila?

Margaritas are served in a cocktail glass whose rim has been rubbed with lime and then dipped in salt. The recipe varies, but usually consists of tequila, lime juice, Cointreau and crushed ice. The popularity of this drink boosted tequila sales around the world, especially in the United States. A number of bars and individuals have tried to take credit for its invention. One of the best known of these stories is that of Texas-born Margaret Sames, who apparently offered it to guests at her Acapulco home. Another story states that Carlos "Danny" Herrera of Tijuana created it in honor of Marjorie (Margarita) King—an up-and-coming actress who refused to drink anything else besides tequila... and Cointreau. There are some bottled margarita mixes, but the best ones are always prepared fresh.

This is not the only cocktail to be prepared with tequila, however. There is also the Charro Negro, a mix of tequila and cola; the traditional Paloma, with tequila, lime juice and grapefruit-flavored soda; and the famous Tequila Sunrise, made from tequila, orange juice and grenadine.

¿Cómo se lee una etiqueta?

A partir de 1906, cuando el tequila comienza a ser envasado en botellas de vidrio, surgen las etiquetas que, además de ser testimonio estético de una época y una sensibilidad, revelan algunos datos relevantes sobre el tequila, que hay que saber descifrar.

1 Norma Oficial Mexicana (NOM). Esta ley fija y regula:
- Características del agave.
- Especificaciones físicas y químicas de la bebida.
- Estándar oficial de calidad.
- Normas de envasado y etiquetado.

2 Número que la NOM asigna a cada productor de tequila.

3 Siglas del Consejo Regulador del Tequila que indican que se supervisó la manufactura.

4 Sirve para saber si se trata de un destilado 100% agave, o si se trata de un tequila mixto.

How should a label be read?

Labels came into existence in 1906, when producers started bottling tequila in glass bottles. Not only do they provide insight into a period's aesthetic sensibilities, they also give us important information about tequila.

When reading a tequila label, it is important to look for the initials NOM **(1)**, *which stand for* Norma Oficial Mexicana *(or Official Mexican Standard. This is a law that defines the characteristics of the type of agave to be used in producing tequila, as well as the physical and chemical characteristics of the beverage itself. It also establishes an official standard of quality and regulations as to bottling and labeling. The Mexican government assigns a* NOM *number to each tequila producer, and this number must be printed on the label* **(2)**. *Any bottle not bearing this number might not contain genuine tequila. Then look for the initials* CRT **(3)**, *which signify that the tequila has been manufactured under the supervision of the Tequila Regulatory Council (*Consejo Regulador del Tequila*). Last but not least, it is important to look for the words "100% de agave"* **(4)**, *which will distinguish a pure agave tequila from a blended one.*

¿Qué organismos regulan el tequila?

En torno al tequila existen dos organismos públicos: la Cámara Nacional de la Industria Tequilera y el Consejo Regulador del Tequila.

La primera es una institución, integrada por los productores de tequila, que tiene el objetivo de representar, promover y defender sus intereses; mientras que el segundo ha sido acreditado por el gobierno mexicano para inspeccionar y certificar la producción, el envasado y el etiquetado de las botellas. Para asegurar la calidad del tequila y el cumplimiento de la Norma Oficial Mexicana (NOM), el Consejo Regulador del Tequila emplea un equipo de profesionales capacitados, que permanentemente llevan a cabo inspecciones en las fábricas.

Which agencies *supervise* tequila quality?

There are two agencies devoted to tequila: the National Chamber of the Tequila Industry and the Tequila Regulatory Council.

The former is an institution established by tequila producers to represent, promote and defend their interests, while the latter is a Mexican government agency designed to inspect and certify the production, bottling and labeling of tequila. To ensure the tequila's quality and that it is made according to the Official Mexican Standard (NOM), the Tequila Regulatory Council has a team of trained professionals who carry out ongoing inspections of the factories.

Santiago de Tequila

Zona de denominación de origen / Protected Designation of Origin Zone

Paisaje agavero protegido por la UNESCO / The Agave Landscape, a UNESCO World Heritage Site

Volcán de Tequila / Tequila Volcano

Presa Santa Rosa /
Santa Rosa Dam
Las Norias
Amatitán
Los Sandovales
Arenal
N
S

La geografía del tequila

Patrimonio de la humanidad y denominación de origen

¿Cuándo se declaró patrimonio de la humanidad el paisaje agavero?

En la región del valle de Tequila y Amatitán, en el estado de Jalisco, se ubica una gran cantidad de plantíos de agave *Tequilana Weber* de variedad azul, lo mismo que haciendas tequileras antiguas, las primeras fábricas en las que se destiló esta bebida y algunos asentamientos prehispánicos. En julio de 2006, todo esto fue declarado Patrimonio de la Humanidad por la UNESCO, porque nos permite ver el fascinante proceso por medio del cual las sociedades y el entorno se han articulado para dar origen a rasgos culturales excepcionales.

¿Qué es la denominación de origen?

Ante el aumento del consumo mundial de tequila, surgieron en varios países algunos licores que eran vendidos como tequila, aunque no lo fueran. Para enfrentar esta situación, en 1974, el gobierno mexicano decretó la Declaración para la protección de la denominación de origen del tequila, en la que se afirma que, por su origen, reputación y cualidades esenciales, el tequila es una bebida distintiva de México. Esto implica que la palabra tequila debe usarse sólo para nombrar las bebidas alcohólicas, hechas del agave *Tequilana Weber* de variedad azul, que crezcan en las tierras mexicanas ubicadas en la demarcación oficial que comprende todo el estado de Jalisco, y algunas tierras de los estados de Nayarit, Michoacán, Guanajuato y Tamaulipas.

The Geography of Tequila

A World Heritage Site and Designation of Origin

When was the agave landscape declared a World Heritage Site?

The valley of Tequila and Amatitán, in the state of Jalisco, is home to many plantations of Agave tequilana Weber, *blue variety, as well as several ancient tequila-producing haciendas, the first factories to distill this beverage and a few pre-Hispanic sites. In July 2006, this entire area was declared a* UNESCO *World Heritage Site because it provides a glimpse of the fascinating process by which its societies and natural environment have combined to create a unique culture.*

What is the designation of origin?

With the worldwide upsurge in tequila's popularity, several countries began selling other kinds of liquor as tequila. In response to this situation, the Mexican government emitted the 1974 Declaration for the Protection of Tequila's Designation of Origin, which states that due to its origin, reputation and essential qualities, tequila is a distinctively Mexican spirit. This means that the word tequila should only be used to designate alcoholic beverages that are made from Agave tequilana Weber, *blue variety, cultivated on Mexican soil within the boundaries of the officially demarcated region. This region includes the entire state of Jalisco and certain parts of the states of Nayarit, Michoacán, Guanajuato and Tamaulipas.*

¿Qué vínculos hay entre el tequila y las artes?

Quizá el primer conjunto de obras plásticas en las que se da cuenta del mundo alrededor del tequila sean los cuadros de los artistas viajeros que retrataron el paisaje mexicano a finales del siglo XIX. Una vez consolidada la Independencia de México, dichos pintores, generalmente llegados de Europa, se aventuraron a recorrer este país, fascinados ante su naturaleza, sus habitantes y sus creaciones. En su intento por encontrar la poesía del paisaje mexicano, algunos de ellos retrataron las instalaciones de las antiguas haciendas tequileras y los plantíos del agave *Tequilana Weber* de variedad azul. Su mirada dejó una honda huella en la plástica mexicana, pues en adelante los artistas locales aprendieron a adueñarse de su entorno, y a retratarlo en obras costumbristas que no sólo dan cuenta de la belleza del paisaje agavero, sino que también son útiles documentos sobre la vida de los rancheros mestizos que habitaban la región de Tequila.

Gilberto Guerra.
Paisaje de Tequila / Tequila Landscape, ca. 1980.
Óleo sobre tela / Oils on canvas. Col. Casa Cuervo.

What links are there between tequila and the arts?

Perhaps the first artworks to depict the world of tequila were those of the traveling artists who captured aspects of this Mexican landscape in the late nineteenth century. Once Mexico became an independent country, these artists—most of whom had arrived from Europe—began to explore the new nation, fascinated by its natural environment, inhabitants and creations. In an attempt to discover the poetry of the Mexican landscape, some of them depicted the old tequila haciendas and the plantations of Agave tequilana Weber, blue variety. *Their vision left an indelible mark on the Mexican visual arts, and from that time on, local artists learned to truly "own" their environment and to represent it in paintings that not only depicted the beauty of the agave landscape but also documented life among the mestizo ranchers of the region of Tequila.*

CINE

La presencia del tequila en el cine se consolidó en la década de 1940, con la época dorada del cine mexicano. La pantalla grande permitió que el prototipo ideal del ranchero campirano, en el que tantos mexicanos encontraban elementos de identificación, adquiriera las dimensiones de una verdadera referencia compartida. Gracias a la difusión de este medio, que allanaba fácilmente las barreras sociales y territoriales, el tequila se popularizó en el país, y adquirió así su posición en las representaciones simbólicas de sectores sociales muy amplios y variados. De ser un destilado local, la bebida comenzaba a transmitir señales e historias asociadas con lo mexicano, y se convertía en emblema de nacionalidad.

La mirada de una nueva generación de extranjeros también contribuyó a dar forma a la imagen que asocia a México con el tequila. Los ojos de Sergei Eisenstein, Antonin Artaud y Malcolm Lowry, entre otros artistas que desarrollaron parte de su obra en este país, captaron y difundieron la imagen de una nación mítica, vinculada con una bebida indispensable para adentrarse en el profundo saber de esta tierra antigua.

Arriba / Above:
Mario Moreno Cantinflas & Manuel Medel. *¿Águila o sol?* 1937. Dir. Arcady Boytler. Col. Imcine.

Derecha / Right:
Delia Magaña, la Guayaba, & Amelia Wilhelmy, la Tostada. *Nosotros los pobres*. 1947. Dir. Ismael Rodríguez. Col. Cineteca Nacional.

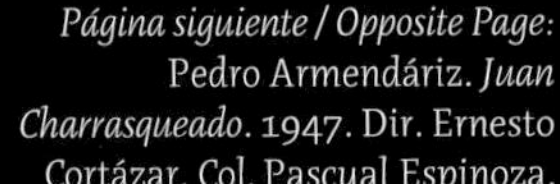

Página siguiente / Opposite Page:
Pedro Armendáriz. *Juan Charrasqueado*. 1947. Dir. Ernesto Cortázar. Col. Pascual Espinoza.

FILM

It was not until the 1940s, with the Golden Age of Mexican cinema, that tequila truly began to make its presence felt in the arts. The silver screen turned the ideal prototype of the rural rancher—with whom so many Mexicans identified—into a common point of reference. Thanks to the popularity of cinema, which easily broke down social and territorial barriers, tequila became popular throughout the country, and figured in the symbolic representations of vast and varied social sectors. From its early status as a local product of limited availability, tequila soon began to show signs of being identified with "Mexicanness" and becoming a national emblem.

The vision of a new generation of foreign visitors also contributed to the country's close association with this liquor. Sergei Eisenstein, Antonin Artaud, and Malcolm Lowry—among other artists who lived and worked in Mexico—captured and disseminated the image of a mythic nation linked to a beverage that was essential to any profound exploration of an ancient land.

PUBLICIDAD

Simultáneamente al auge del cine, se creó en el país un verdadero mercado nacional para el tequila. Sus productores estuvieron entre los poquísimos fabricantes de un producto vernáculo y distintivo capaz de hacer frente al desafío de un espacio comercial que ampliaba sus fronteras. El tequila realizaba entonces un nuevo mestizaje que podía resolver una contradicción aparente: una exigencia tradicional, asociada con su origen, y una moderna, asociada con la calidad, la innovación técnica y la búsqueda de nuevos mercados. Esta evolución dejó su impronta en el arte del tequila, que se integraba a la estética de aquella sociedad que subordinaba la inspiración artística a las necesidades comerciales. Se crearon entonces, alrededor de este destilado y de otros productos comerciales, representaciones populares que se distribuían en elementos cotidianos como calendarios, carteles, cajas de cerillos y otros objetos promocionales. En estas representaciones se mostraba una figura idealizada del mexicano, que respondía al nacionalismo cultural que caracterizó la época y a los mitos, leyendas y deseos de los mexicanos de aquel momento.

PINTURA Y ESCULTURA

El tequila cosechó los frutos de la crisis económica de la década de 1980, pues muchos bebedores de *whiskey*, de vinos importados y de cocteles extravagantes, volvieron su mirada a sus viejas estanterías, en las que encontraron magníficas botellas que habían olvidado al privilegiar el gusto por lo extranjero. Este acercamiento a la bebida despertó la imaginación de pintores, escultores, ceramistas, escritores y músicos, que encontraron en sus formas pretextos para la creación. El tequila ha encontrado, desde entonces, múltiples transformaciones estéticas que dan cuenta de la vitalidad que ya había adquirido como símbolo de la identidad mexicana.

Jaime Sadurní,
Cromo.
Col. Casa Cuervo.

TEQUILA PURO
JOSE
CUERVO
"LA ROJEÑA"
HECHO EN MEXICO
DGN
TEQUILA CUERVO, S.A.

TEQUILA

ADVERTISING

Along with the cinematic boom, new markets for this beverage were created in Mexico. The tequila industry was unique in that it manufactured a distinctive, vernacular product capable of facing up to the challenge of a market in the process of broadening its horizons. Later, tequila underwent a new process of cultural blending, which addressed an apparent contradiction: the demand for tradition, associated with tequila's origin, and the demand for modernity, associated with quality, technological innovation and expansion into new markets. This evolution left its mark on the art of tequila, which became integrated into the aesthetic of a society that valued commerce over artistic inspiration. And so, numerous popular representations associated with this beverage and other commercial products began to appear and were distributed in the form of everyday objects such as calendars, posters, matchboxes and other promotional items. These representations showed an idealized image of Mexicans that responded to the cultural nationalism of the time, and to the myths, legends and desires of the Mexican population.

PAINTING & SCULPTURE

Tequila benefited from the economic crisis of the 1980s, given that many drinkers of whiskey, imported wines and extravagant cocktails turned to forgotten shelves where they found dusty yet magnificent bottles that they had overlooked in their quest for foreign products. This phenomenon stimulated the imagination of painters, sculptors, potters, writers and musicians, who discovered in these bottles a basis for their creativity. Since that time, tequila has undergone multiple aesthetic transformations that attest to its vitality as a symbol of Mexican identity.

Joel Rendón,
El aperitivo /
The Aperitif, 1994.
Grabado en linóleo /
Linocut.

¿Qué museos y exposiciones sobre el tequila existen?

Museo Nacional del Tequila (MUNAT)
Inaugurado en el año 2000, en la antigua Casa de Cultura de Tequila, este recinto ofrece una muestra fotográfica y plástica sobre la historia del tequila, a lo largo de seis salas de exposición permanente, algunas salas de exposición temporal y un auditorio. Aquí se puede admirar una fina pieza de vidrio soplado que es la más grande del mundo hecha por un solo hombre, el artesano Hipólito Gutiérrez Castillo de Tonalá, Jalisco.

Mundo Cuervo
Es un majestuoso enclave turístico en el que se puede conocer el proceso de producción del tequila. La visita a este sitio contempla una caminata por los campos de agave y un recorrido por la destilería La Rojeña. Ahí mismo pueden visitarse galerías de arte, tiendas y talleres artesanales. Sus jardines y su bella hacienda son ideales para encuentros empresariales y eventos sociales.

Museo de la Familia Sauza
Está ubicado frente a la plaza principal del pueblo de Tequila. En su colección destacan cromos de Jaime Sadurní y Vicente Morales, además de un mural de Gabriel Flores en el que se describe el proceso de elaboración de este destilado. También hay piezas usadas por los indígenas de la región y una cocina tradicional con utensilios de época y artesanías.

Are there any museums and exhibitions about tequila?

National Museum of Tequila (MUNAT)

This museum, located in the former Cultural Center of Tequila, opened its doors in the year 2000. Its permanent exhibit consists of six rooms of photography and art on the history of tequila. It also has space for temporary exhibits and an auditorium, and features the largest piece of blown glass in the world made by a single artisan, Hipólito Gutiérrez Castillo, from Tonalá, Jalisco.

Mundo Cuervo

Mundo Cuervo is an impressive tourist attraction featuring demonstrations of every stage in the tequila production process. A visit to this facility includes a walk through the agave fields and a tour of the La Rojeña distillery. There are also art galleries, shops and craft workshops. The lovely gardens and facilities are perfect for business meetings and social events.

Cartel de / Poster from *Viva Tequila! A Traditional Art of Mexico*, 2006.
Museo del Tabaco y la Sal, Tokio, Japón.

Museo de La Cofradía

El tequila ha sido un detonante de pasiones entre los artistas plásticos contemporáneos. En el Museo de La Cofradía se exhibe obra creada *ex profeso* por los artistas Francisco Ochoa, Lourdes Sosa, José Luis Malo, Lila Dipp, Carmen Alarcón, Paco de la Peña, Joao Rodríguez, Rafael López Castro, Isis Eglé Aceves y Eliel Flores, entre otros.

Exposición *Viva tequila!* *A Traditional Art of Mexico*, en Tokio

La relevancia del tequila como fenómeno cultural ha trascendido las fronteras de nuestro país: en octubre de 2006, Artes de México presentó la primera exposición internacional que tomaba a esta emblemática bebida como eje. La sede fue el Museo del Tabaco y la Sal, en Tokio, Japón.

Sauza Family Museum

This museum is located across from Tequila's main square. Its collection features original color lithographs by Jaime Sadurní and Vicente Morales, as well as a mural by Gabriel Flores which depicts the tequila production process. It also includes objects used by indigenous communities in the region, a traditional kitchen with period utensils and local crafts.

La Cofradía Museum

Tequila has kindled the passions of many contemporary visual artists, and the La Cofradía Museum offers a selection of commissioned works by Francisco Ochoa, Lourdes Sosa, José Luis Malo, Lila Dipp, Carmen Alarcón, Paco de la Peña, Joao Rodríguez, Rafael López Castro, Isis Eglé Aceves and Eliel Flores, among others.

Viva Tequila! A Traditional Art of Mexico,
Exhibition in Tokyo

Tequila's importance as a cultural phenomenon has transcended Mexican borders: in October 2006, Artes de México presented the first international exhibition to deal with this emblematic beverage. The location for this historic event was the Tobacco and Salt Museum in Tokyo, Japan.

Viaje por Tequila

Salvador Encarnación

Travels in Tequila

Salvador Encarnación

-1-

Desde el crucero de Ameca ya se percibe el olor azul de los agaves. Atrás queda el verdor de la Primavera con sus pinos y cedros. Adelante está el cielo transparente, las nubes aborregadas, los cerros cubiertos de puro agave.

-2-

Por aquí y por allá, iluminando la carretera, empiezan los letreros con la tentación para los sedientos: "Ahorre agua. Tome tequila".

-3-

Si le gusta pueblear, tome la carretera libre. A su paso encontrará viejas construcciones, vendedores de bules, de camote del cerro. Verá pasar La Cruz del Astillero, El Arenal y el Amatitán del padre Placencia, donde en 1908, él cumplió 33 años: "Ha desleído el día/ el crepúsculo rojo tras la azul lejanía./ Al matar el crepúsculo sobre las recias cumbres/ del 'Tequila' soberbio sus postrimeras lumbres,/ pensativa la noche sus milagros despierta..."

-4-

Una inundación de barriles nos recibe al entrar al pueblo. Son tiendas donde se vende esta artesanía. Atrás de ellos, cientos y cientos de botellas contienen mezcal y tequila.

—Disculpe —pregunto al tendero —¿tiene agua natural?

—Agua. Ni que estuviera en Chapala. Aquí sólo vendemos tequila.

-5-

Entro al pueblo por la calle Sixto. Las vendimias de barriles con "degustaciones sin compromiso" abundan por todas partes. La temperatura sube, el calor sofoca, el viento trae un olor a maguey tatemado.

-6-

Antes que nada, visito a la Virgencita. Entro al templo, la duela rechina con mis pasos. Ella muy pura en lo alto del altar. Yo acá abajo, triste, con el corazón vuelto un morral lleno de pecados. Levanto la mirada. ¿Qué ven mis ojos? La Virgencita viste una túnica blanquísima con agaves bordados en seda.

-7-

¿Han visto ustedes un Divino Preso recién bañado? Pues en la parroquia de Tequila está uno. Era una hermosa imagen de mínimo doscientos años. Por ella habían pasado —seguro— todas las amarguras del mundo y ahora, "retocado", parece que lo volvieron a hacer. "A esta imagen no la 'retocaron', la remataron".

-1-

You can smell the blue scent of agaves all the way from the Ameca crossroads. The lushness of Primavera's pines and cedars lies behind us. Ahead, the transparent sky, the fleecy clouds, the rolling hills covered in pure agave.

-2-

And scattered here and there, lighting the highway, signs begin tempting thirsty travelers: "Conserve water. Drink tequila."

-3-

If you enjoy exploring small towns, take the toll-free highway. En route, you'll see old buildings and vendors of gourds and wild sweet potatoes. You'll go past La Cruz del Astillero, Arenal and the Amatitán of Father Placencia, where he turned thirty-three in 1908: "The day has dissolved/ the red twilight beyond the blue distance./ While on the brave heights of the arrogant volcano,/ the dusk puts out its last fires,/ the thoughtful night awakens its miracles."

-4-

A flood of barrels greets us as we drive into town. They stand outside the stores where agave products are sold. Behind them stand hundreds and hundreds of bottles containing mezcal and tequila.

"Excuse me," I ask the shopkeeper. "Do you have bottled water?"

"Water! What do you think this is? Lake Chapala? We only sell tequila here."

-5-

We come into town by way of Sixto Street. There are shopfronts with barrels offering tequila tastings, no obligation. The temperature is on the rise, the heat is suffocating, the wind carries the scent of roasting maguey.

-6-

First things first, so I pay a visit to the Virgin. I walk into the church, the wooden floors squeaking under my feet. She is there, so pure, at the highest point of the altar. I'm down here, sad, my heart a sack full of sin. I gaze upward, and what do I see? The Virgin is wearing a bright white tunic covered with agaves embroidered in silk thread.

-7-

Have you ever seen a recently cleaned Divine Prisoner? Well, there's one in the Tequila parish church. It is a beautiful image, at least two hundred years old. All the bitterness in the world must surely have passed through it, and now—retouched—it looks like it has been made over. "They didn't restore this image, they perfected it."

-8-

Fuimos directo a La Capilla a tomarnos una batanga. El dueño de esta cantina es Don Javier Delgado y nos dice: "Todo tequila es lo mismo, lo que cambia es la fama de cada uno y el envase. Una botella fina aumenta el precio". Sirve un decilitro de tequila blanco en cada vaso, agrega el jugo de medio limón, hielo, una pizca de sal y refresco de cola. Con el cuchillo agita las bebidas. Mientras sirve, el Piporro canta: "Quiero comprarle un jardín a Pancha, ay mamá, pero que sea de flores perfumadas..." Don Javier sigue recordando al Tequila de su juventud. "Para nosotros era mucho gusto ver pasar el tren por la noche. Era una alegría ir a ver a los turistas que iban a Mazatlán. Había personas que se ponían un chiquihuite colgado a la altura del estómago, por enfrente, lleno de botellas de tequila para vendérselas a los turistas. Don Hilario tenía una mesa muy limpia y vendía tortas, tacos, tostadas. Se bajaban los maquinistas a comprarle porque cocinaba muy bueno. Era como una feria. El tren pasaba a las ocho de la noche".

-9-

Salimos de La Capilla medio lampareados. El sol en todo lo alto. —¿Vamos a la estación? —Y fuimos ya a medios chiles. Un puño de ferrocarrileros nos mira de arriba abajo. Sus rostros mal encachados apenas contestan nuestro saludo. —Tres cervezas —pedimos en la tienda. Ellos nos miran en silencio. Al poco rato se olvidan de nosotros y se van. Comenzamos la plática. Luego llegan otros a la tienda. Piden sus cervezas. Nos ven con cara de mal encachados. Nosotros guardamos silencio...

-10-

Llegamos a la plaza y ahí vimos a una muchacha de escasos dieciocho años con los ojos más hermosos de todo Jalisco. Eran unos ojos de aguamarina, azul *tequilana*. Traía un vestido blanco y unas zapatillas de correa por donde se veían unos talones rositas, fresquecitos.

-11-

Me ando trozando de hambre. "¿Cómo te caerían unos camarones gigantes, marinados con limón y una pizca de sal y pimienta? Luego a la cacerola se le pone una cucharada de mantequilla y se agregan los camarones. Cuando agarran color se flamean con un caballito de tequila reposado. En una licuadora se hace una salsa con mangos de Manila, un chorrito de vinagre blanco y otro de miel de abeja. Esta salsa se cuela y se pone a reducir al fuego. Para mejorar el sabor se pone a la parrilla una rebanada de piña fresca. Luego en un plato se coloca la piña asada, encima los camarones y se baña con la salsa".

-8-

We go straight to La Capilla for a drink. The owner of this cantina is Don Javier Delgado, and he tells us, "All tequilas are the same. The only things that vary are how famous each one is and their bottles. A fancy bottle hikes up the price." He pours a deciliter of blanco tequila into each glass, adds the juice of half a lime, ice, a pinch of salt and cola. He stirs the drinks with a knife. As he serves us, El Piporro sings, "I want to buy a garden for Pancha, ay mamá, but let it be filled with perfumed flowers." Don Javier continues to reminisce about the Tequila of his youth. "It was a major event when the train went through at night. We were always overjoyed to see the tourists on their way to Mazatlán. Some people would carry a basket around their necks, hanging at stomach-height, full of bottles of tequila to sell to the tourists. Don Hilario had a very clean table where he sold tortas, tacos and tostadas. The engineers would get off the train to buy from him because his food was so good. It was like a fair every time the train went through. It would go by at eight at night on its way to Mazatlán."

-9-

We're already feeling the effects of the alcohol when we leave La Capilla. The sun is high in the sky. "Let's go to the train station." We're still buzzed when we get there. A handful of railway workers look us up and down. Their hostile faces barely register our greeting. "Three beers," we order at the store. They watch us in silence. After a while, they forget about us and leave. We start talking. Then some others show up at the store and order beer. They give us hostile looks. We keep quiet.

-10-

We reach the plaza, where we see a girl no more than eighteen years old with the most beautiful eyes in all of Jalisco. Her eyes are aquamarine, tequilana blue. She wears a fresh white dress and some strappy shoes that show off her pink heels.

-11-

I'm famished. "How would you like some giant prawns, lightly marinated in lime, a pinch of salt and pepper. Then you melt some butter in a pot and add the shrimp. After they turn pink, flambé them with a caballito of reposado tequila. Meanwhile, in the blender, make a sauce with Manila mangos, a splash of white vinegar and a bit of honey. Strain the sauce and simmer in a pot until reduced. For even more flavor, grill a slice of fresh pineapple. Set this on the plate first, then arrange the shrimp on top of it and pour the sauce over top."

-12-

Acúsome padre del pecado de gula. Me comí unos camarones flameados al tequila y mientras los amigos platicaban me fui al mercado Cleofas y me comí unos taquitos de birria tatemada, unas pellizcadas y otro taquito de pepián de pollo. —¿A dónde fuiste? —me preguntaron. Yo les contesté que a caminar para bajar la comida.

-13-

En Cuervo ya quitaron la paloma de Juan Soriano. Ahora está la escultura monumental de un cuervo y nadie supo quién era el escultor. Entramos a la tienda y ahí encontramos cientos de artesanías: rebozos, máscaras, joyería. Un sol de Sergio Bustamante está muy serio. Tal parece que a él no le ha tocado ni una gota de tequila.

-14-

Entramos al Museo Nacional del Tequila. Ahí nos damos cuenta de la historia de esta bebida y de sus decenas de marcas. La casa que lo alberga es señorial. Tiene una sala de exposiciones temporales y ahí se han expuesto gráfica, pinturas, equipales...

-15-

Aparte de unas botellas, me compro unas artesanías de obsidiana hechas por los Aguirre: palomas, espejos, dijes, ranas.

-16-

Ya es tarde. Nos sentamos en las bancas de la plaza y un señor nos hace plática. Se esmera por quedar bien, por decir frases elocuentes. —¿Es usted filósofo? —le preguntan. Se rasca la cabeza y contesta: —Más o menos.

-17-

—Me siento crudo —dice un amigo. El filósofo de Tequila lo voltea a ver y aconseja: —Mire amigo, la cruda y los calzones no se quitan solos. Échese un trago de tequila que aquí tenemos bastante.

-18-

Anochece. Volvemos a Guadalajara por la autopista. El volcán Tequila parece un murciélago iniciando el vuelo. A lo lejos, la barranca luce sus pliegues dorados en contraste con el ya opaco azul del cielo. Abro una botella y lleno nuevamente los caballitos. —Cómo ha cambiado Tequila —comentan. —Todo está de lujo. —Sí —les digo —ellos se han hecho ricos con nuestras tristezas. Salud.

-12-

I stand accused of the sin of gluttony. After I eat the tequila-flambéed shrimp, and while my friends talk, I walk over to the Cleofas market and have some roasted goat tacos, pellizcadas *and a chicken pipian taco. "Where did you go?" my friends ask. I tell them I went for a short digestive walk.*

-13-

At Cuervo, they've taken down the dove by Juan Soriano, and replaced it with a monumental sculpture of a crow. No one knows who the artist is. We go into the giftshop and find hundreds of crafts: rebozos, masks, jewelry. A sun by Sergio Bustamante looks too serious. I'm sure it's never even tried a drop of tequila.

-14-

We go into the National Tequila Museum. It is housed in an impressive old mansion. It has a gallery for temporary exhibits which have included printmaking, paintings, equipal chairs....

-15-

I buy some bottles and some crafts made out of obsidian by the Aguirre family: doves, mirrors, charms, frogs.

-16-

It's getting late. We sit on a bench in the town square and an older gentleman strikes up a conversation with us. He goes out of his way to make a good impression and to use elegant turns of phrase. Someone asks him if he's a philosopher. He stops, scratches his head and replies, "More or less."

-17-

"I'm hung over," a friend says. The philosopher of Tequila turns to him and says, "My friend, neither your hangover nor your underwear are going to go away on their own. Have a shot of tequila: we have quite a bit of it around here."

-18-

It's getting dark. We take the toll highway back to Guadalajara. The Tequila Volcano looks like a bat taking off. In the distance, the golden folds of the ravine contrast with the darkening blue of the sky. I crack open a bottle and refill everyone's caballitos. "How Tequila has changed," they say. "Everything's so luxurious." Yes, I say, they've gotten rich off our sorrows. Cheers.

Translated by Michelle Suderman.

Breve historia del Tequila

María Pilar Gutiérrez Lorenzo

A Brief History of Tequila

María Pilar Gutiérrez Lorenzo

Sobre el origen y la naturaleza del vino mezcal, originalmente fabricado en las poblaciones de Tequila, Hostotipaquillo, Amatitán y Ameca existen muchos tópicos. Una leyenda reivindicada por la historia de esta emblemática bebida otorga la paternidad a Don Pedro Sánchez de Tagle, marqués de Altamira, señalando que fue él quien introdujo el cultivo del agave alrededor del volcán Tequila y dio comienzo a la destilación del producto. Aunque se sabe que el lugar de origen de la especie silvestre conocida como agave *Tequilana Weber* de variedad azul es esta zona geográfica de la barranca, y no existe documento que relacione al marqués de Altamira con el establecimiento de la primera taberna de vino mezcal en la Nueva Galicia, se sigue manteniendo esta tradición.

También el mito ha contribuido, con narraciones fabulosas e imaginarias, a brindar explicaciones sobre la presencia del agave azul en la zona del volcán. La falta de investigaciones sobre las haciendas mezcaleras y estudios sobre el paisaje agavero, contribuyen a mantener vivo el mito de la diosa Mayahuel, símbolo prehispánico de la fecundidad de la tierra, convertida en maguey con el fin de proveer a los primeros pobladores asentados en la región lo necesario para su supervivencia. Mágica interpretación que tiene que ver con la riqueza y polivalencia de la planta del maguey, cuya presencia ha sido fundamental para el desarrollo social, cultural y económico de la zona a lo largo de los siglos. Alimento, medicina, fibras, agua y otros productos, son algunos de sus múltiples usos y funciones, en cuyo alrededor se fue construyendo colectivamente la imagen idealizada de la diosa Mayahuel, que personifica el proceso civilizador del territorio al ser representada con cuatrocientos pechos con los que amamanta a sus cuatrocientos hijos.

Si bien la planta del maguey —de origen prehispánico— era utilizada por los indígenas de la región del volcán Tequila, la destilación —de origen árabe— fue introducida con la llegada de los españoles, quienes controlaron su producción iniciando una actividad económica que generó —a partir del siglo XVIII— una especialización del suelo agrícola y un mercado específico, conquistado en el siglo XIX. Fue hasta el siglo XX cuando se hizo común entre la población la utilización de la palabra tequila para referirse a la bebida resultante de la destilación del mezcal, elaborada con la planta del maguey de la zona.

Desde el siglo XVII la producción de vino mezcal en la región era práctica común en abierta competencia con otras bebidas alcohólicas, tal y como se muestra en un documento fechado en 1709 donde el capitán Mateo Mar-

There are many legends about the origin and nature of vino mezcal, *which was first manufactured in the towns of Tequila, Hostotipaquillo, Amatitán and Ameca. One such tale that has often been taken to be the truth within the history of this emblematic beverage attributes its creation to Don Pedro Sánchez de Tagle, the marquis of Altamira. It indicates that he introduced the cultivation of agave to the lands surrounding the Tequila Volcano, and initiated its distillation. Though it is common knowledge that the species known as* Agave tequilana Weber, *blue variety, was an endemic plant that grew wild in the geographical area of this ravine, and though there is no documentation linking the marquis of Altamira to the establishment of the first* taberna *or distillery in New Galicia, this tradition has been kept alive to this day.*

Other fabulous and imaginary tales related to the myth of tequila offer their own explanations for the presence of blue agave in the area of the volcano. Lack of research into mezcal-producing haciendas and the agave landscape have contributed to keeping the myth of the goddess Mayahuel alive. She is the pre-Hispanic symbol of the earth's fertility, transformed into a maguey plant in order to provide the region's first settlers with what they needed to survive. This magical interpretation has to do with the maguey plant's polyvalence and the many benefits it offers. The presence of this plant has been fundamental to the region's social, cultural and economic development over the centuries, as a source of food, medicine, fiber, water and other products—just a few of its many uses. An idealized image of the goddess Mayahuel has been gradually and collectively constructed around this plant as the personification of the region's civilizing process. She is represented as having 400 breasts with which she feeds her 400 children.

While the maguey plant was used by indigenous groups in the area of the Tequila Volcano in pre-Hispanic times, distillation was Arabic in origin, and was introduced following the arrival of the conquistadors. Spaniards controlled production and thus initiated an economic activity which, beginning in the eighteenth century, led to the specialized use of cultivated soil and a specialized market that was conquered in the nineteenth century. It was not until the twentieth century that it became common to use the word tequila to refer to the liquor produced from the distillation of mezcal, which was elaborated from local maguey plants.

Beginning in the seventeenth century, production of vino mezcal *in the region was a common practice, competing directly with other alcoholic beverages, as seen in a document dated 1709 which contained an edict issued by*

tínez de la Parra, corregidor de Tequila, dicta un auto prohibiendo el "trajín y comercio de vino de mezcal y de coco y otros brebajes que llaman tepache y binguí", con lo que se aseguraba el cobro de impuestos y el control de toda bebida que entraba en su jurisdicción. Para 1727 se castigó la fabricación del llamado vino de lechuguilla; y en 1755 se persiguió la adulteración del vino mezcal "con yerbas porque se ha experimentado grave perjuicio en la salud". A finales del siglo XVIII —1782— en la zona alcabalatoria de Guadalajara se consumían y fabricaban doce bebidas alcohólicas y diferentes brebajes cuyas composiciones daban lugar a nombres tan expresivos como el de excomunión o quebrantahuesos. Sin embargo, para esta fecha sólo el vino mezcal de la región de Tequila se comercializaba más allá de su límites territoriales bajo la denominación de origen "de Guadalajara", lo cual pone de manifiesto su primacía y singular naturaleza, frente a la destilación de mezcales de otras zonas que no adoptan el nombre de su lugar de procedencia.

A finales del siglo XVIII, y como consecuencia de su vinculación a los centros mineros, el comercio de vino mezcal experimentó un fuerte impulso, ya que este emergente mercado vino a sumarse al tradicional mercado rural y al recién conquistado mercado urbano, lo que articuló una fuerte comercialización del producto.

La liberación del comercio a principios del siglo XIX —superadas las trabas impuestas durante el Virreinato— otorga un impulso a la industria del tequila. El cierre del puerto de Acapulco, con la consiguiente intensificación del tráfico por el puerto de San Blas en las primeras décadas del siglo XIX, la llegada del ferrocarril a Jalisco en la década de 1880, y la sustitución a fines de ese siglo del barril por el envase de vidrio para su venta, fueron factores decisivos para una mayor distribución del producto, que llegó a comercializarse entonces fuera de las fronteras nacionales. La gran demanda alcanzada dentro y fuera de los límites regionales, y la internacionalización del producto durante el Porfiriato (1876-1911), trajeron consigo el afianzamiento de un grupo económico dominante en la región de Tequila que, al tiempo que extendió la mancha de los plantíos de agaves, introdujo importantes innovaciones tecnológicas en el proceso de destilación, como la sustitución de los antiguos hornos bajo tierra —de origen prehispánico— por los llamados hornos de mampostería de mayor poder calorífico.

Para 1919 había cinco fábricas que elaboraban vino mezcal en el municipio de Tequila: La Castellana, La Martineña, La Rojeña, La Perseverancia y San Martín. Sabemos quiénes eran sus dueños, cuál era su producción y dónde estaban ubicadas. Sin embargo, todavía estamos a la espera de encontrar el primer documento en el que, en lugar de consignarlo como vino mezcal, aparezca el nombre de tequila para referirse a la bebida de agave *Tequilana Weber* de variedad azul.

Captain Mateo Martínez de la Parra, chief magistrate of Tequila, prohibiting the "transport and trade of liquor made from mezcal or from coconut, or of other beverages named tepache *and* binguí.*" Thus, he was able to guarantee the collection of taxes on and control of every alcoholic beverage that entered his jurisdiction. In 1727, the fabrication of liquor from the lechuguilla agave was prohibited, and in 1755, the adulteration of vino mezcal "with herbs that are severely prejudicial to the health" was also banned. In the late eighteenth century—1782, to be exact—there were twelve different alcoholic beverages and brews being fabricated and consumed in the Guadalajara tax district. The varying composition of these beverages gave rise to such picturesque names as* excomunión *("excommunication") and* quebrantahuesos *("bonebreaker"). But by this time, only vino mezcal from Tequila was sold outside its territorial limits, under the designation of origin of Guadalajara. This emphasized its predominance and singular nature as compared to mezcal distillates from other regions that did not adopt the name of their place of origin.*

In the late eighteenth century, as a consequence of its connection to mining centers, the vino mezcal trade underwent a boom as this new market joined the traditional rural market and the recently conquered urban market. The combination of these three strengthened trade in this product.

The advent of freer trade in the early nineteenth century—once the tax obstacles imposed during the viceroyalty had been removed—gave another boost to the tequila industry. The closing of the port of Acapulco and the resulting heavier traffic through the port of San Blas in the early decades of the nineteenth century, the arrival of the railroad in Jalisco in the 1880s, and by the end of that century, the substitution of glass containers for barrels in retail sales were all decisive factors in the creation of an expanded market for tequila, which by that time was already being sold outside of Mexican borders. The massive demand for this product both inside and outside regional boundaries and its internationalization during the Porfirio Díaz regime (1876–1911) was accompanied by the backing of a powerful economic sector in the region of Tequila which extended the area in which agaves were cultivated and introduced important technological innovations in the manufacturing process, such as switching from the traditional underground ovens—pre-Hispanic in origin—to stone ovens that could reach higher temperatures.

In 1919, there were five distilleries making vino mezcal in the municipality of Tequila: La Castellana, La Martineña, La Rojeña, La Perseverancia and San Martín. There are records of their ownership, production and location, but we have yet to discover the first documented use of the word tequila rather than vino mezcal to designate the liquor made from Agave tequilana Weber, *blue variety.*

Translated by Michelle Suderman.

Las marcas del tequila de la A a la Z

María Luisa Cárdenas

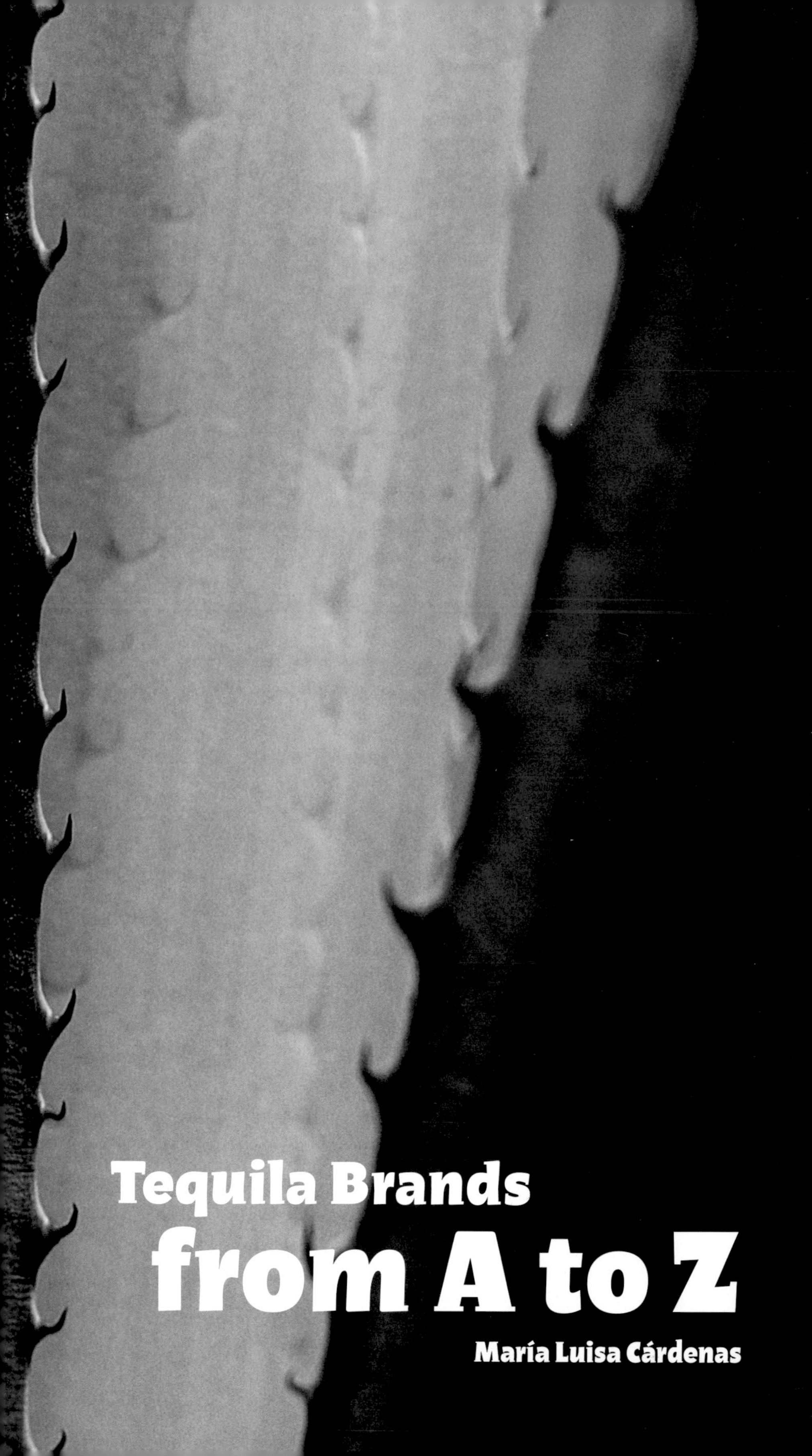

Tequila Brands from A to Z

María Luisa Cárdenas

Acúmbaro

Este tequila, de cuerpo generoso y carácter afrutado, comenzó a producirse en 1997 con la intención de retomar las más profundas raíces en la producción artesanal de esta bebida. La región de Acúmbaro, en los Altos de Jalisco, le dio su nombre, pues en esta tierra de suelos arcillosos y resecos producían tequila los padres y abuelos de Carmen Gil Camarena, socia fundadora de la destilería. Su sabor bronco y suave puede disfrutarse lo mismo en tequilas blanco, reposado y añejo. Y próximamente estará a la venta la clase extra añejo, con la misma apariencia brillante y cristalina que da cuenta de su calidad distinguida con raza.

Tequila Acúmbaro ha sido reconocido con la medalla de oro en el San Francisco World Spirits Competition.

This tequila *with a rich taste, generous body and fruity notes was introduced in 1997 with the idea of returning to this beverage's roots by using the original processes first used by the parents and grandparents of a founding partner of this brand, Carmen Gil Camarena. It was named after the region of Acúmbaro in Los Altos de Jalisco, because it was in this dry, clayey soil that the family produced tequila for many years. Its robust yet smooth flavor is available as a blanco, reposado or añejo tequila. Acúmbaro extra-añejo will be launched shortly, featuring the same clear, sparkling appearance and mellow flavor that attest to its pedigree as a tequila of distinction.*

Tequila Acúmbaro was awarded a gold medal at the San Francisco World Spirits Competition.

Destiladora Canicas, S.A. de C.V.
Fábrica: Rancho Nuevo de la Cruz. Abasolo, Guanajuato.
Oficina: Andrés López 724, colonia Moderna, 36690. Irapuato, Guanajuato.
Tel: 52 (462) 626 8087 www.acumbaro.com

Amate

Grupo Amate, S.A. de C.V.
Av. Manuel Acuña 2674-203, colonia Ladrón de Guevara, 44600.
Guadalajara, Jalisco. Tel: 52 (33) 3641 4380 y 3641 4340
www.amate.com

Tequila Amate es una bebida cuyo sabor resalta las bondades del agave. Fue creada en 1997 por Carlos A. Monsalve Agraz y Juan Carlos Jiménez Ahedo. Su nombre proviene del papel hecho artesanalmente con raíces y cortezas, pero sobre todo con gran esmero. Su botella, elegante y minimalista, es la mejor licorera para este fino destilado que también rescata las virtudes entrañables del trabajo artesanal.

Antes de ser distribuido, cada lote de este tequila es sometido a una cata en la que sus fundadores corroboran su raza y distinción. Ya sea blanco, reposado, añejo o extra añejo, la calidad de Amate se exporta a Estados Unidos, Alemania, Suiza, Suecia, Francia, Japón, Nueva Zelanda, Dinamarca y Checoslovaquia, para dar testimonio de la tradición del buen tequila.

Tequila Amate's flavor *brings out the many bounties of the agave plant. Created in 1997 by Carlos A. Monsalve Agraz and Juan Carlos Jiménez Ahedo, its name derives from the traditional paper handmade from the bark of different varieties of trees by means of a painstaking craft process. Its elegant and minimalist bottle is the ideal decanter for this fine distillate which contains all the virtues of fine craftsmanship.*

Prior to distribution, each lot of Tequila Amate is tasted by the company's founders to verify its excellence and distinction. Tequila Amate's superior quality acts as testimony to the tradition of good tequila. It is exported as a blanco, reposado, añejo and extra-añejo, to the United States, Germany, Switzerland, Sweden, France, Japan, New Zealand, Denmark and Czechoslovakia.

Antiguo

100%

Una receta celosamente guardada por decenas de años merece ser compartida. Por eso, y para conmemorar su CXXV aniversario, Casa Herradura creó Antiguo, un tequila con cuatro meses de reposo que reproduce con fidelidad la receta del tequila que tomaban los patrones de la hacienda San José del Refugio. Su proceso de producción resalta el sabor natural de este gran tequila. Antiguo es, sin duda, la prueba de que un tequila hecho con amor y maestría nunca pierde la vigencia.

A recipe jealously *guarded for decades is worth sharing. For this reason, and to celebrate its 125th anniversary, Casa Herradura created Antiguo. Aged for four months, it faithfully reproduces the recipe for the tequila enjoyed by the masters of the San José del Refugio hacienda. This grand tequila's process of fabrication brings out its natural flavor. Antiguo is clear proof that a tequila crafted with love and skill never goes out of style.*

Casa Herradura
Comercio 172, Sector Juárez, colonia Mexicaltzingo, 44180.
Guadalajara, Jalisco. Tel: 52 (33) 3942 3900
www.herradura.com.mx

100%

Arette

Tequila Arette de Jalisco, S.A. de C.V.
Av. La Paz 2325, colonia Arcos Sur, 44140. Guadalajara, Jalisco.
Tel: 52 (33) 4777 0000 y 4777 0002 / Fax: 52 (33) 3615 1646
www.tequilaarette.com

Arette fue fundado por los hermanos Eduardo y Jaime Orendain Giovannini, descendientes de una de las familias tequileras más tradicionales, y se produce en la destilería El Llano, una de las más antiguas de la ciudad de Tequila. Su nombre celebra al caballo Arette, ganador de cuatro medallas olímpicas en los juegos de Londres en 1948, y es un homenaje al trabajo y esfuerzo con los que el general Humberto Mariles, entrenador de este equino, logró la calidad y excelencia que lo llevaron al triunfo. Por eso, desde su primera botella, Tequila Arette ostenta en la etiqueta la imagen orgullosa del caballo, para tomarlo como inspiración y guía en la elaboración de esta bebida fina, suave y generosa.

Este tequila puede encontrarse a la venta en México y en algunos países del extranjero como Estados Unidos, Argentina, Colombia, Uruguay, Gran Bretaña, España, Suecia, Grecia, Rusia, Holanda, Finlandia y los países asiáticos, entre otros.

Arette was founded *by the brothers Eduardo and Jaime Orendain Giovannini, who come from a long line of tequila producers. It is manufactured at the El Llano distillery, one of the oldest in Tequila. Its name renders homage to a horse named Arette, winner of four Olympic medals at the 1948 games in London, as well as to the horse's trainer, Humberto Mariles, whose hard work led to Arette's victory. For that reason, Tequila Arette's label bears the proud image of this horse, who has been our inspiration and guide in the elaboration of this fine, smooth and generous beverage.*

This tequila is sold in Mexico as well as in the United States, Argentina, Colombia, Uruguay, Great Britain, Sweden, Finland, Holland, Greece, Spain, Russia and several parts of Asia.

TEQUILA
ARETTE
100% de Agave
Reposado

ENVASADO DE ORIGEN

ARETTE ARETTE
TEQUILA
ARETTE
100% de Agave
Añejo
CONT. NET. 750ml
Elaborado y Envasado
en Tequila, Jalisco,
México.
38% Alc. Vol.
NOM 1109
CRT
ENVASADO DE ORIGEN

Baluarte

Tequila Insignia, S.A de C.V.
Lago Silverio 220, colonia Anáhuac, 11320. México, D.F.
Tel: 52 (55) 5260 4020 / Fax: 52 (55) 5260 1180
www.baluarte.com.mx

Tequila Baluarte se creó en 1999 bajo la consigna de crear un producto de alta calidad pero que conservara la tradición del tequila de antaño. Como un homenaje a nuestro pasado, su nombre recuerda las antiquísimas construcciones amuralladas que hay en nuestro país, y que ahora son patrimonio de los mexicanos.

La calidad de este licor se obtiene de la selección de los mejores agaves, y su exquisito sabor se debe a que reposa en barricas de *bourbon* americano. Este tequila, 100% puro de agave, es resultado de un proceso de producción completamente natural, ya que no se le adicionan químicos para su elaboración. Más que un tequila, Baluarte es un símbolo de la tradición mexicana que se puede disfrutar como blanco, reposado o añejo.

Tequila Baluarte *was created in 1999 as a high-quality product that preserves the traditions of the past. Its name pays tribute to our history, as it refers to the many ancient walled structures in our country that are now part of every Mexican's heritage.*

This spirit owes its superior quality to the careful selection of agaves, and its exquisite flavor is due to its aging in American bourbon barrels. This 100% pure agave tequila is the result of an entirely natural process, given that no chemicals are added at any stage of its production.

More than just a tequila, Baluarte is a symbol of Mexican tradition. It is available as a blanco, a reposado or an añejo.

Black Medallion

Jose Cuervo, siempre en busca de complacer a sus consumidores, introduce en 2006 un nuevo tequila, Jose Cuervo Black Medallion.

Este tequila, que se añeja durante más de un año en barricas de roble tostado, garantiza un excelente sabor capaz de agradar a los paladares más experimentados. El proceso de añejamiento al que se somete Black Medallion logra un aroma similar al de los *whiskeys* y rones reposados.

La calidad y el sabor suave de este destilado lo colocan como un tequila *super premium*, perfecto para consumirse derecho, en las rocas o con refresco de cola y una rodaja de limón.

***Jose Cuervo** has always sought to please its customers, and in 2006 introduced a new blend with a richer taste experience: Jose Cuervo Black Medallion.*

Aged in charred-oak barrels, Jose Cuervo Black Medallion is a darker, smoother añejo tequila ideal for enjoying on the rocks, as a super-premium shot, or with cola and a slice of lime. Overt agave notes are minimized and aging results in rich, complex oaky notes that create an aroma similar to aged whiskeys and rums.

With the smooth, enjoyable, mixable taste of Cuervo Black, consumers now have a super-premium tequila suitable for savoring.

Casa Cuervo, S.A. de C.V.
Río Churubusco 213, colonia Granjas México, 08400. México, D.F.
Tel: 52 (55) 5803 2400 / Fax: 52 (55) 5803 2408
www.cuervo.com

Cabo Wabo

Tequilera Cabo Wabo, S.A.
Vicente Guerrero s/n, colonia Centro, 23410.
Cabo San Lucas, Baja California Sur. Tel: 52 (624) 143 1188
Fax: 52 (624) 143 1198 www.cabowabo.com

Se cree que el mariachi es la única música que ha estado relacionada con el tequila, pero Cabo Wabo es la muestra de que no es así. Este tequila surgió en 1996, como un homenaje al bar Cabo Wabo, propiedad del guitarrista y cantante de rock Sammy Hagar.

De sabor suave y cuerpo generoso, este licor ha sido distinguido con importantes preseas, como son las de la San Francisco World Spirits Competition y la American Culinary Institute. Tequila Cabo Wabo se exporta a Estados Unidos y se puede encontrar en tres clases: blanco, reposado y añejo.

Cabo Wabo es el tequila por excelencia para disfrutarse durante las tardes de calor, ya que tiene el sabor inconfundible del agave de Amatitán, Jalisco.

It is assumed that Mariachi *is the only music related to tequila but Cabo Wabo is clear proof that this is not the case. This tequila was launched in 1996 by rock star Sammy Hagar as a tribute to his famous Cabo Wabo Cantina.*

With a smooth flavor and lush body, this spirit has garnered a number of important awards, including prizes from the San Francisco World Spirits Competition and the American Culinary Institute. Tequila Cabo Wabo is exported to the United States and is available in three classes: blanco, reposado and añejo. It features the unmistakable flavor of agaves from Amatitán, Jalisco.

Campo Azul

Aproximadamente a dos horas de Guadalajara se encuentra la población de Jesús María, en la cima de los Altos de Jalisco. Es en este lugar en donde, en 1996, se funda la destilería y nace el Tequila Campo Azul, que ha creado su reserva especial Serie Selecta. Esta línea se fabrica a la usanza antigua, con una levadura no comercial desarrollada exclusivamente para este tequila de sabor distintivo y tradicional. Por ello, se ofrece al consumidor un tequila que sigue las más estrictas normas de calidad y que se ha ganado el reconocimiento especial de la gente de México y de los países a los que se exporta.

Campo Azul Serie Selecta se produce en tres categorías: blanco, reposado y añejo, además de su edición clásico reposado.

The town of Jesús María *is located about two hours outside of Guadalajara, at the highest point of Los Altos de Jalisco. The distillery that produces Tequila Campo Azul was founded here in 1996. The brand has now launched its special reserve, Serie Selecta. This line has been fabricated with time-honored methods, using a non-commercial yeast that was developed exclusively for this tequila to create its distinctive, traditional flavor. As such, it offers consumers a tequila made according to strict standards of quality, which has garnered the recognition of consumers in Mexico and other countries to which it is exported.*

Campo Azul Serie Selecta is available as blanco, reposado, añejo, as well as its reposado classic edition.

Productos Finos de Agave, S.A. de C.V.
Av. Plan de San Luis 1402-A, colonia Mezquitán Country, 44260.
Guadalajara, Jalisco. Tel: 52 (33) 3823 1738 / Fax: 52 (33) 3823 1644 ext. 103
www.tequilacampoazul.com / ventas@tequilacampoazul.com / contacto@tequilacampoazul.com

Canicas

Destiladora Canicas, S.A. de C.V.
Fábrica: Rancho Nuevo de la Cruz. Abasolo, Guanajuato.
Oficina: Andrés López 724, colonia Moderna, 36690. Irapuato, Guanajuato.
Tel: 52 (462) 626 8087 www.canicas.com

En 1996, nació el Tequila Canicas en Guanajuato, estado ubicado dentro de la zona de denominación de origen. Su botella de vidrio soplado retoma lúdicamente lo mexicano, al incluir tres canicas en su interior. Elaborada de forma artesanal, la fina calidad de esta bebida puede ser percibida en un fuerte tequila blanco, en un sedoso reposado, o en un elegante añejo. Canicas resiste la más dura prueba de calidad, ya que está hecho para disfrutarse solo. Su carácter afrutado y su generoso cuerpo han sido reconocidos por el Beverage Testing Institute y el San Francisco World Spirits Competition.

Tequila Canicas *was created in 1996 in Guanajuato—a state which lies within the designated tequila-production zone. The three marbles, or canicas, inside its blown-glass bottle are a playful reminder of Mexican culture. Crafted using traditional techniques, this exquisite high-quality tequila may be enjoyed as a crisp, triple-distilled plata, a silky reposado or an elegant añejo reminiscent of a French aperitif wine. Canicas stands up to the most difficult test of all as it is designed to be enjoyed neat. Its fruity character and full body have been praised by the Beverage Testing Institute and at the San Francisco World Spirits Competition.*

Casa Noble

Casa Noble Tequila
La Cofradía 1297, 46400. Tequila, Jalisco.
Tel: 52 (33) 3682 0754 y 1404 4014
www.casanoble.com / tequila@casanoble.com

A finales del siglo XIX, nació Casa Noble con la misión de ofrecer una bebida excepcional. Pero su historia se remonta aún más atrás: a mediados del siglo XVIII, los propietarios de esta marca ya producían un vino mezcal que se distribuía en las cantinas de Guadalajara y la ciudad de México.

Consciente de que una fina bebida debe ser elaborada con la entrega con la que uno se acerca a un ritual, Casa Noble fue la primera en elaborar un tequila blanco de triple destilación. Así nació Casa Noble Crystal, que se ofrece en una licorera de vidrio soplado. Casa Noble Reposado y Casa Noble Añejo, que aguardan con paciencia en barricas de roble blanco francés, son envasados, respectivamente, en una botella de porcelana pintada a mano y en una de porcelana negra con etiqueta de oro, que dan testimonio de que en esta destilería se cultivan la estética y la tradición.

Casa Noble *was created in the late nineteenth century with the idea of offering consumers an exceptional alcoholic beverage. But its history goes back even further: in the mid-eighteenth century, the founders of this brand were already producing a* vino mezcal *that was sold in cantinas in Guadalajara and Mexico City.*

Given that any fine liquor must be elaborated with the devotion one demonstrates when participating in a ritual, Casa Noble was the first brand to offer a triple-distilled blanco tequila named Casa Noble Crystal, which is sold in a blown-glass decanter. Casa Noble Reposado and Casa Noble Añejo are patiently aged in French white oak barrels and bottled in hand-painted porcelain decanters in the first case, and black porcelain decanters with gold labels in the second, attesting to the fact that this distillery cultivates both aesthetics and tradition.

100%

Cazadores

Fábrica: Tequila Cazadores de Arandas
Bacardi y Compañía, S.A. de C.V.
Libramiento sur, kilómetro 3, 47180. Arandas, Jalisco. Tel: 52 (348) 784 9000
Fax: 52 (348) 784 9000 ext. 111 www.tequilacazadores.com.mx

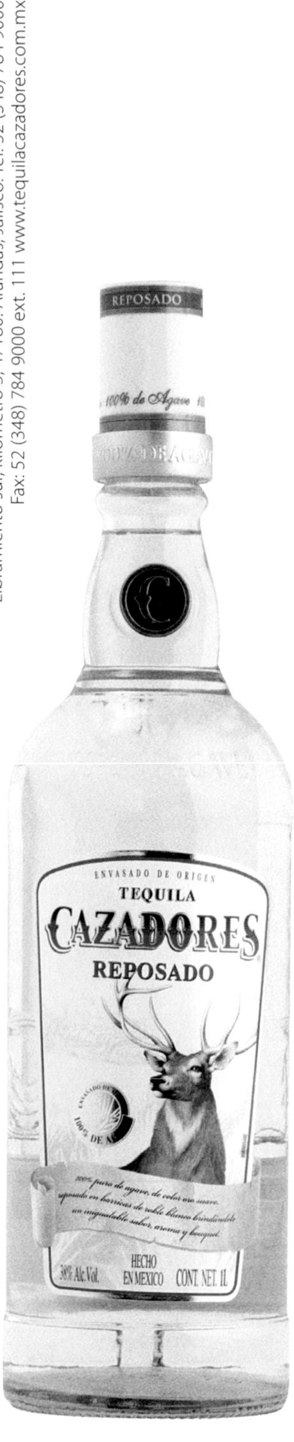

El venado es símbolo de valor, perseverancia y orgullo. Estas virtudes han sido imprescindibles para los responsables de Tequila Cazadores; por eso este fino licor ostenta orgulloso la imagen de un venado en la etiqueta.

Este tradicional tequila fue creado en 1922 para satisfacer el consumo doméstico. Sin embargo, con el paso del tiempo, fueron cobrando fama su suave sabor, su transparencia y sus matices aromáticos. Habían pasado más de 50 años y tres generaciones de la familia dedicadas a la elaboración de tequila, cuando se decidió comercializar este fino destilado para compartir con un amplio público las virtudes que lo habían dado a conocer. Para producir Cazadores se utiliza agave de los Altos de Jalisco que ha sido sometido a estrictas pruebas de calidad. Además, el proceso lento de fermentación, el efecto Mozart al que es sometido y las barricas de roble blanco americano donde se guarda, garantizan un producto de sabor y calidad inigualables.

Como blanco, Cazadores ofrece un aroma ligero y un sabor suave y dulzón que darán gusto a todo aquel que lo pruebe. El reposado, de sabor definido con notas de agave, vainilla, madera y pera, es ideal para paladares refinados que buscan un tequila con clase. Pero si lo que se desea es una bebida con mayor experiencia, el añejo es la opción, pues tiene un agradable *bouquet* y un aroma a roble que no se podrán encontrar en otro destilado.

En sus tres variedades, Tequila Cazadores ha obtenido premios y certificaciones a nivel mundial que reconocen su calidad. Entre éstas, se cuentan el Golden Star of International Quality 1990 y el Grand Prize of America for Quality and Service, así como la certificación ISO 9001:2000. Actualmente puede encontrarse en Estados Unidos y algunos países de la Unión Europea, y muy pronto se exportará a Rusia y Guatemala.

The deer is a symbol *of courage, perseverance and pride. These qualities have been key elements in the production of Tequila Cazadores, which is why this fine liquor proudly displays the image of a stag on its label.*

This traditional tequila was created in 1922 for household consumption. Over time, however, it became widely known for its smooth flavor, transparency and nuanced bouquet. Fifty years went by—with three generations of the family involved in its production—before it was decided that it should be marketed so that a larger public might share in its celebrated qualities. Cazadores is made from only the finest quality-tested agave from Los Altos de Jalisco. The long fermentation process, the use of the Mozart effect and the American white oak barrels in which it is aged guarantee a product of unequaled flavor and quality.

Cazadores Blanco offers a light bouquet and a smooth, sweetish flavor that everyone will enjoy. The reposado has a distinct flavor with notes of agave, vanilla, wood and pear, and is ideal for refined palates seeking a more elegant presentation. But for consumers who want a more experienced beverage, the añejo is the best choice, given that it has a pleasant bouquet with oak notes that cannot be found in any other distillate.

In its three presentations, Cazadores tequila has garnered awards and certifications of its quality worldwide. These include the Golden Star of International Quality 1990 and the Grand Prize of America for Quality and Service, as well as the ISO 9001:2000 certification. It is currently available in the United States and certain countries in the European Union, and will soon be exported to Russia and Guatemala.

Chinaco

Tequilera La Gonzaleña, S.A. de C.V.
Camino a Santa Fe, kilómetro 1, 89700. Villa González, Tamaulipas.
Tel: 52 (55) 5531 8826 / Fax: 52 (55) 5531 5104
www.chinacotequila.com / chinaco@prodigy.net.mx

En remembranza de los chinacos, los valientes mexicanos que defendieron la patria en la guerra de Reforma y la Intervención francesa, se creó este tequila cuya botella recuerda las vasijas usadas por los españoles durante el Virreinato. Chinaco es elaborado en lo que fuera la hacienda de El Cojo, en Tamaulipas, en tierras que alguna vez pertenecieron al general Manuel González, presidente de México en 1880 y 1884 y bisabuelo de Guillermo González, fundador de la Tequilera La Gonzaleña. Su fina calidad puede disfrutarse lo mismo en un tequila blanco, que en un reposado, un añejo y un extra añejo, llamado Chinaco Negro. Y todos ellos pueden encontrarse lo mismo en México que en Estados Unidos, Alemania, Italia, Hungría, Inglaterra, Kazajistán y Japón.

This tequila was created *in honor of the Chinacos—brave Mexicans who defended their country during the War of the Reform and the French Intervention. The bottle is reminiscent of ones used by the Spaniards during the viceroyalty. Chinaco is produced on the former Hacienda de El Cojo in Tamaulipas, whose lands once belonged to General Manuel González, president of Mexico in 1880 and 1884, and the great-grandfather of Guillermo González, founder of La Gonzaleña which is the manufacturer of this tequila. Its superior quality is evident in every presentation: blanco, reposado, añejo and an extra-añejo tequila named Chinaco Negro. All are available in Mexico as well as the United States, England, Germany, Hungary, Italy, Kazakhstan and Japan.*

100%

Clase Azul

Casa Tradición, S.A. de C.V.
Lapislázuli 3244-201B, colonia Residencial Victoria, 45089. Zapopan, Jalisco.
Tel: 52 (33) 3560 9415 / Fax: 52 (33) 3693 1120
www.tequilaspremium.com / info@tequilaspremium.com

Tequila Clase Azul cuenta con cinco elementos clave que hacen que sea un producto excepcional: los agaves orgánicos madurados durante un mínimo de nueve años, el lento cocimiento de los corazones de agave en hornos artesanales, la fermentación con levaduras que son fórmula secreta de la compañía, la cuidadosa destilación para asegurar el máximo refinamiento y la maduración en finas barricas.

Está envasado en piezas de arte únicas, elaboradas y numeradas a mano por comunidades de artesanos mexicanos que tienen su sustento en este noble trabajo.

La calidad de este tequila fue premiada con medalla de oro en los certámenes Beverage Testing Institute y San Francisco World Spirits Competition, entre otros.

Debido a su especial suavidad, está hecho para disfrutarse solo, creando una experiencia sublime a los sentidos digna de uno de los mejores tequilas que se hayan producido.

Tequila Clase Azul *unites five basic elements that make it an exceptional product: organic agaves that have matured for at least nine years, slow cooking of the agave hearts in traditional ovens, fermentation using the company's secret combination of yeasts, careful distillation to ensure the most refined tequila possible, and aging in fine oak barrels. Clase Azul is bottled in unique decanters that are handcrafted, hand-painted and individually numbered by artisans in local communities.*

The quality of this tequila has been recognized with gold medals from the Beverage Testing Institute in Chicago and the San Francisco World Spirits Competition. Its exceptional smoothness makes it ideal for sipping and creates a sublime sensory experience rivaling the finest tequilas ever produced.

Clase Azul Ultra

Casa Tradición, empresa 100% mexicana, lanzó en el 2007 uno de los primeros tequilas extra añejos en el mundo.

Según los críticos, Casa Tradición cumple ampliamente la promesa de crear una bebida de clase mundial que supere las expectativas de los paladares más expertos. Clase Azul Ultra se envasa en licoreras de colección hechas en ediciones de únicamente 100 piezas, que son elaboradas con platino, oro y plata por un selecto grupo de artistas mexicanos. El escultor León Fernández realizó los medallones de agave con plata ley .925, el decorado fue realizado por Tomás Saldívar, quien empleó platino puro, y la etiqueta está elaborada con oro de 24 quilates.

Más de trece años fueron necesarios desde la siembra de los agaves hasta la obtención de este preciado tequila, por lo que no es de sorprender que, considerando su calidad, exclusividad y pequeña producción, éste sea uno de los de mayor precio en el mundo.

Clase Azul Ultra *was launched in 2007 by the 100% Mexican-owned company Casa Tradición. Clase Azul Ultra is one of the first extra-añejo tequila brands introduced to the world. Critics have said that this limited-edition tequila fulfills the company's promise and commitment to create a world-class tequila that far surpasses the expectations of the most sophisticated palates.*

Clase Azul Ultra is bottled in decanters produced by a select group of Mexican artists. These works of art are produced in a limited collectors' edition of 100 pieces and adorned with silver, platinum and gold. The sculptor León Fernández created the .925 silver agave medallions, while the pure platinum decoration is applied by Tomás Saldívar. The label is made from twenty-four-karat gold. Clase Azul Ultra's production time spans more than thirteen years: from the time the agaves are first planted to the time it is bottled and released. Considering its quality, exclusivity and small-batch production, it comes as no surprise that this is one of the most expensive tequilas on the market.

Casa Tradición, S.A. de C.V.
Lapislázuli 3244-201B, colonia Residencial Victoria, 45039. Zapopan, Jalisco.
Tel: 52 (33) 3560 9415 / Fax: 52 (33) 3693 1120
www.tequilaspremium.com / info@tequilaspremium.com

Corzo

Nace la evolución del tequila. Corzo es un tequila *super premium* que encuentra el equilibrio perfecto entre arte y ciencia. Su nombre alude a un tipo de venado, noble y elegante, que hermana a este fino destilado con los tequilas de la familia Cazadores, en cuyo logotipo destaca este animal. Este delicado licor debe su extraordinario carácter y exquisito sabor a un método patentado de triple destilación, y a sus minuciosos cuidados durante todo el proceso de elaboración. De cuerpo generoso y sabor suave, Tequila Corzo es envasado en una hermosa licorera diseñada por Fabien Baron. Ya sea blanco o reposado, este destilado muestra el sabor y la casta de un buen tequila.

***The evolution** of tequila has begun. Corzo is a super-premium tequila that achieves the perfect balance between art and science. It is named after a noble and elegant species of deer, associating this fine spirit with the Cazadores family of tequilas whose label features a stag. Corzo owes its extraordinary personality and exquisite flavor to a patented triple-distillation process and to the scrupulous care that goes into every step of its production. With a generous body and smooth flavor, Tequila Corzo is bottled in a lovely decanter designed by Fabien Baron. Whether you prefer blanco or reposado, this spirit contains all the flavor and pedigree of a fine tequila.*

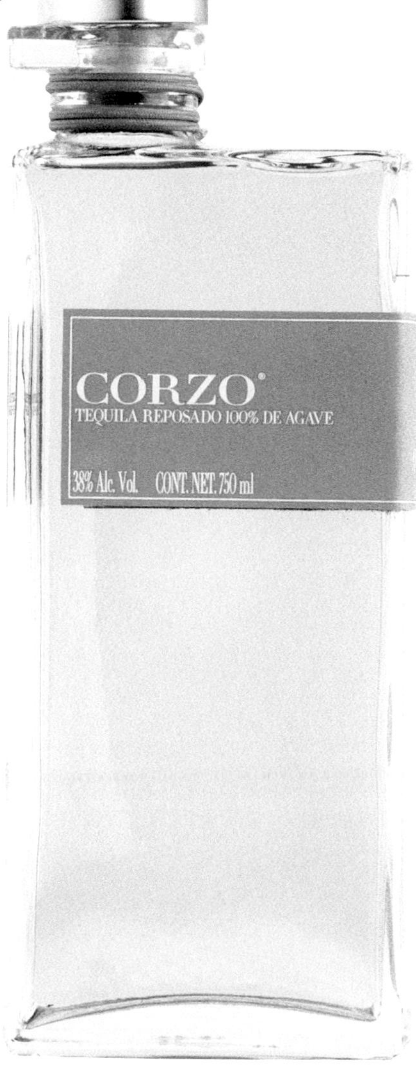

CORZO®
TEQUILA REPOSADO 100% DE AGAVE
38% Alc. Vol. CONT. NET. 750 ml

Fábrica: Tequila Cazadores de Arandas
Bacardi y Compañía, S.A. de C.V.
Libramiento sur, kilómetro 3, 47180. Arandas, Jalisco. Tel: 52 (348) 784 9000
Fax: 52 (348) 784 9000 ext. 111 www.corzo.com

Don Julio
Blanco

100%

Don Julio Blanco está respaldado por años de experiencia. Muestra de esto es su pureza, que lo hace un tequila de características inigualables que se obtiene después de un cuidadoso proceso de destilación.

Desde 1996, año en el que el mercado mexicano conoció las cualidades de Don Julio Blanco, este tequila no ha dejado de sorprender por su suave sabor y porque cada trago es como una punzada deliciosa que da cuenta de la elegancia del tequila.

Sus brillos plateados, ligeramente azules, contrastan con su etiqueta que recuerda el color del agave.

***Don Julio Blanco** is founded on years of experience. Proof of this is its purity, which has made it a tequila of peerless qualities that are the result of a careful distillation process.*

Since 1996, when Mexican consumers were first introduced to the attributes of Don Julio Blanco, its smooth flavor has been a source of unending surprise: every sip offers a deliciously sharp flavor, attesting to the elegance of tequila.

Its bright bluish silvery color contrasts with the label, reminiscent of the color of agave.

Tequila Don Julio, S.A. de C.V.
Porfirio Díaz 17, colonia El Chichimeco, 47750.
Atotonilco el Alto, Jalisco. Tel: 52 (391) 917 0830 y 917 2711
www.donjulio.com

Don Julio
Reposado

Tequila Don Julio, S.A. de C.V.
Porfirio Díaz 17, colonia El Chichimeco, 47750.
Atotonilco el Alto, Jalisco. Tel: 52 (391) 917 0830 y 917 2711
www.donjulio.com

En 1987 nació Don Julio Reposado, para celebrar los 45 años que llevaba Don Julio González Estrada como productor de tequila. Para distinguirlo con una botella que fuera única, se creó una pieza que posee el encanto de la manufactura artesanal.

El proceso de destilación de este reposado es un verdadero arte. Y durante los ocho meses que se guarda en barricas de roble blanco, Don Julio Reposado toma lo más fino de la madera para convertirse en un tequila con raza.

No es novedad que, detrás de Don Julio Reposado, existen décadas de tradición tequilera.

Don Julio Reposado *was launched in 1987 to celebrate Julio González Estrada's forty-five years as a tequila producer. Its distinctive bottle bears all the charm of Mexican crafts, and sets it apart from other brands.*

The distillation process of this reposado tequila is a true art form. Throughout the six months that it is aged in white oak barrels, Don Julio Reposado takes on a woody flavor that makes it a tequila with pedigree.

It is common knowledge that Don Julio Reposado is backed by decades of experience in the tradition of tequila.

Don Julio

Añejo

100%

Tequila Don Julio, S.A. de C.V.
Porfirio Díaz 17, colonia El Chichimeco, 47750.
Atotonilco el Alto, Jalisco. Tel: 52 (391) 917 0830 y 917 2711
www.donjulio.com

Con los mejores procesos de producción, Don Julio Añejo es un tequila noble y refinado que rescata los dones y la tradición del agave.

Fue en 1996 cuando Don Julio Añejo se lanzó al mercado. Debido a que espera pacientemente durante 18 meses en barricas de roble blanco que fueron utilizadas previamente para añejar *whiskey*, tiene un sabor inconfundible y un cuerpo generoso. Desde el fino diseño de su botella, muestra su indiscutible calidad y buen gusto.

Se recomienda que Don Julio Añejo se beba en la copa Riedel o en la copa de *cognac*, para así apreciar su delicado sabor con un delicioso toque de madera. Su suave aroma ofrece una agradable y sofisticada combinación de hierbas, agave, vainilla, caramelo y café, que es todo un deleite.

***Elaborated with the finest** production processes, Don Julio Añejo—launched in 1996—is a noble, sophisticated tequila that proposes a return to the tradition and nature of the agave plant.*

Patiently aged for eighteen months in white oak barrels that were previously used for whiskey, this tequila has a unique flavor and generous body. Even the elegant design of its bottle demonstrates its inarguable quality and good taste.

Don Julio Añejo is best served in a Riedel tequila glass or a cognac glass, which will set off its delicate flavor with woody notes. Its smooth bouquet offers a pleasant, sophisticated combination of herbal, agave, vanilla, caramel and coffee notes that is a delight to the senses.

Don Julio Real

Tequila Don Julio, S.A. de C.V.
Porfirio Díaz 17, colonia El Chichimeco, 47750.
Atotonilco el Alto, Jalisco. Tel: 52 (391) 917 0830 y 917 2711
www.donjulio.com

El color dorado de Don Julio Real hace honor a su nombre. Su hermosa botella, cuya decoración se inspira en las hojas de agave, resalta la gran clase de este tequila.

Durante sus 36 meses de añejamiento, Don Julio Real adquiere un aroma a agave cocido, hierbas finas y frutas con un exquisito toque de caramelo, chocolate y café, lo que hace que cada trago sea una experiencia inolvidable. Su sabor dulce con un ligero toque de madera, sedoso a su paso por el paladar, revela la generosidad de la tierra y la pasión con que ésta es cuidada.

La calidad de un tequila la hace su raza, y para Don Julio Real, esto es ya tradición.

Don Julio Real's *golden hue emphasizes its regal nature which is also reflected in its name. The striking bottle bears decorations inspired by agave leaves, accentuating the exquisite quality of this tequila.*

During the thirty-six-month aging process, Don Julio Real takes on a bouquet reminiscent of baked agave, fine herbs and fruit, with delightful notes of caramel, chocolate and coffee, making every sip of Don Julio Real an unforgettable experience. Its sweet, slightly woody flavor and silky palate hint at the generosity of the land and the passion with which it is cultivated.

A tequila's quality stems from its lineage, and there is no question that this tradition runs deep in Don Julio Real.

Don Julio 1942

100%

Don Julio 1942 es un tequila que satisface a los paladares más exigentes. Fue creado en 2002 para celebrar que Don Julio González Estrada llevaba ya 60 años cultivando amorosamente el oficio del tequila. Este añejo ámbar dorado nos recuerda que es un destilado de tierra antigua, finura de caballeros y pócima de sabidurías ocultas.

Su ligero sabor a vainilla y chocolate lo hace un tequila de excelente calidad, ya que pasa más de 30 meses en barricas de roble blanco y sólo podría ser envasado en esta fina botella de exclusivo diseño. La mejor forma de disfrutar este añejo es en la copa Riedel, única para realzar sus cualidades. Sin más, todo esto hace de Tequila Don Julio 1942 toda una joya.

Don Julio 1942 *is a tequila that satisfies the most demanding of palates. Introduced in 2002 to celebrate the sixty years that Julio González Estrada has devoted to lovingly cultivating the art of tequila, this amber añejo is a reminder that this is a beverage of noble lands, brave men and ancient wisdom.*

With notes of vanilla and chocolate, this excellent tequila spends more than thirty months in white oak barrels prior to bottling in graceful glass decanters. Don Julio 1942 is best served in a Riedel tequila glass, which will set off the unique qualities that make it a jewel among tequilas.

Tequila Don Julio, S.A. de C.V.
Porfirio Díaz 17, colonia El Chichimeco, 47750.
Atotonilco el Alto, Jalisco. Tel: 52 (391) 917 0830 y 917 2711
www.donjulio.com

Don Max

Tequilas de La Doña, S.A. de C.V.
Tlapexco 25, colonia Palo Alto, Cuajimalpa, 05110.
México, D.F. Tel: 52 (55) 5259 5432 / Fax: 52 (55) 5570 7119
www.tequilasdeladona.com / info@tequilasdeladona.com

Con el firme compromiso de ofrecer una alternativa real dentro del vasto mercado de productos de agave, Tequilas de La Doña desarrolló un auténtico tequila que, lejos de ser un sabor "sólo para machos", es un producto exquisito y amable desde el primer sorbo.

En una presentación de vanguardia, Don Max se muestra muy orgulloso de su origen, al presentarnos sus variedades de blanco, reposado y añejo, en finas botellas verde, blanco y rojo, con las que alude a los colores patrios. Así, este fino licor se distingue como un producto auténtica y orgullosamente mexicano.

Firmly committed *to offering a real alternative within the growing market for agave products, Tequilas de La Doña has developed a genuine tequila that has managed to shed the drink's classic image as something "only for machos." Its exquisite flavor is evident from the first sip.*

Don Max is proud of its origins, as seen in its avant-garde presentation, featuring blanco, reposado and añejo varieties in lovely green, transparent and red bottles that allude to the nation's colors. Thus, this fine liquor distinguishes itself as a genuine and proudly Mexican product.

Don Tacho

La región de Tequila ha sido habitada por hombres de una sola pieza, apegados a las costumbres, pragmáticos, valerosos y ávidos de goces de todos los sentidos. Estos personajes han sabido transmitir su gallardía a la bebida que producen y disfrutan. Y lo han hecho a través de los cuidados que procuran a la siembra y cosecha del agave, así como a la destilación de sus mieles. Don Tacho Ansotegui es uno de estos hombres. Él cuida personalmente sus campos de agave, sembrados en el valle del Arenal, Jalisco, y supervisa la destilación y el reposo de un refinado licor con tintes de madera. Envasado en una botella que recuerda las antiguas damajuanas, Don Tacho lleva este nombre para homenajear a su fundador, que se sigue esmerando por producir un tequila que se apegue a la tradición.

***The region of Tequila** has always been inhabited by men of honor and virtue, loyal to their customs, pragmatic, courageous and avid for pleasure in any form. These individuals have been able to infuse the beverage that they produce and enjoy with their values, and they have done so through the great care they invest in planting and harvesting the agave, as well as in distilling its juices. Tacho Ansotegui is one of these men. He personally tends his agave fields in the Arenal Valley in Jalisco, and supervises the distillation and aging of this refined liquor with woody notes. With a bottle reminiscent of an old-fashioned demijohn, Don Tacho was named after its founder, who continues in his endeavor to produce a tequila that is loyal to tradition.*

Panamericana Abarrotera, S.A. de C.V.
Lago Athabaska 164-C, colonia Huichapan, Tacuba,
11290, México, D.F. Tel: 52 (55) 5399 3000
www.dontacho.com y www.pasa.com.mx / ventas@pasa.com.mx

El Conde Azul

Vinos y Licores Azteca, S.A. de C.V.
Rinconada del Geranio 3544-1A, colonia Rinconada
Santa Rita, 45120. Zapopan, Jalisco. Tel: 52 (33) 1057 6440
Fax: 52 (33) 3817 5616 www.vinosylicoresazteca.com

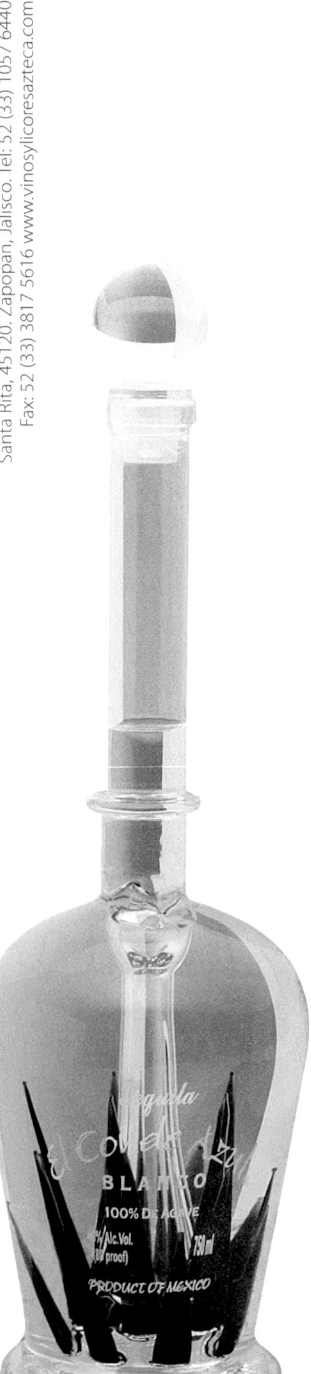

Los Altos de Jalisco vieron nacer El Conde Azul, un destilado en el que se manifiestan la tradición y las bondades de la tierra.

El Conde Azul surge del interés de crear un tequila que muestre la unión de dos culturas hermanas. De ahí que este producto, símbolo nacional por excelencia, esté contenido en una botella hecha por artesanos italianos. Su etiqueta de oro fundido de 24 quilates es muestra de la elegancia de este tequila, que es toda una joya.

Está disponible como blanco, reposado y añejo. Su calidad se debe a que, además de que reposa ocho meses o duerme durante tres años sólo en barricas seleccionadas, se deja oxigenar 72 horas antes de envasarlo para que adquiera el inconfundible toque de Vinos y Licores Azteca. Esta empresa, integrada por mujeres, es reconocida por la calidad de sus productos y porque cuenta con el certificado Kosher. Por primera vez, el sabor y la elegancia se combinan en el mismo producto. Así, de México para el mundo nació El Conde Azul.

The region *of Los Altos de Jalisco bore witness to the birth of El Conde Azul, a tequila that is the product of tradition and the bounties of the earth.*

El Conde Azul emerged from an interest in creating a tequila that brings together the artistry and knowledge of two different cultures. And so this tequila—Mexico's quintessential national symbol—is sold in a bottle made by Italian craftsmen.

Its twenty-four-karat gold label is another example of the elegance of this fine tequila, which is available as a blanco, reposado or añejo. Its quality derives from eight months' or three years' aging in select barrels, as well as the fact that it is allowed to oxygenate for seventy-two hours prior to bottling, which instills it with the unmistakable quality of Vinos y Licores Azteca. This company, run and operated exclusively by women, is known for the quality of its products, which are certified as kosher. For the first time, flavor and elegance are combined in a single product. El Conde Azul is Mexico's gift to the world.

El Jimador

En torno al tequila existen personajes legendarios que poseen una sabiduría antigua. Uno de ellos es el jimador, quien se encarga de cosechar el agave cuando ha alcanzado su madurez. Él reconoce las pencas sólo con verlas, sabe cuando aún deben esperar o cuando están listas para la jima.

Para rendirle tributo, Casa Herradura creó el Jimador, un tequila cristalino y brillante que se puede disfrutar solo o mezclado. El extraordinario cuerpo que posee el Jimador es ideal para los paladares jóvenes que quieren disfrutar del sabor profundo del agave. Esa sutileza y sus ligeros tonos de vainilla, madera y caramelo, han hecho de Tequila el Jimador uno de los preferidos del mercado. Por eso, Casa Herradura orgullosamente afirma en todo el mundo que el Jimador es el tequila número uno de México.

In the world of tequila, *there are legendary figures who possess arcane knowledge. One of these is the* jimador *who is responsible for harvesting the agave when it has reached maturity. By simply looking at a plant's leaves, he knows whether or not it is ready to be harvested.*

It was as a tribute to this figure that Casa Herradura created El Jimador, a brilliant crystal-clear tequila that can be enjoyed straight as well as in cocktails. El Jimador's extraordinary body is ideally suited to young palates that are fond of the lush flavor of agave. This, added to its subtle notes of vanilla, wood and caramel, has made Tequila El Jimador one of the most popular tequilas on the market. For this reason, Casa Herradura can proudly say that El Jimador is the number one tequila in Mexico.

Casa Herradura
Comercio 172, Sector Juárez, colonia Mexicaltzingo, 44180.
Guadalajara, Jalisco. Tel: 52 (33) 3942 3900
www.herradura.com.mx

100%

El Secreto

Tequilas de La Doña, S.A. de C.V.
Tlapexco 25, colonia Palo Alto, Cuajimalpa, 05110.
México, D.F. Tel: 52 (55) 5259 5432 / Fax: 52 (55) 5570 7119
www.tequilasdeladona.com / info@tequilasdeladona.com

Hay muchos secretos en la alquimia del tequila que son celosamente guardados por los maestros tequileros, y que son determinantes para elaborar un producto de excelencia.

Esta sabiduría oculta, y el compromiso de sus creadores de producir un tequila único, dan por resultado El Secreto, un tequila *super premium*, 100% puro de agave, que por sus características representa el mayor orgullo de su casa productora.

Alejado de cualquier paradigma, con una presentación verdaderamente única y seductora, Tequila El Secreto es una caricia al paladar, amable y sutil, pero con mucho carácter.

Ya sea blanco, reposado o añejo, este licor posee el equilibro exacto entre espléndido aroma y exquisito sabor. Con todo esto, se confirma que, cuando se habla de El Secreto, un pequeño trago dice más que mil palabras...

The alchemy of tequila *holds many secrets that are decisive factors in the elaboration of a product of excellence, and which are jealously guarded by master tasters.*

This arcane knowledge and the producers' commitment to creating a peerless tequila have resulted in El Secreto, a super-premium 100% agave tequila whose qualities are its makers' greatest pride.

With its uniquely seductive presentation that stands in a category all its own, Tequila El Secreto has a strong character that nonetheless agreeably and subtly caresses one's palate.

Whether as blanco, reposado or añejo, this spirit achieves the perfect balance between splendid aroma and exquisite flavor. All this proves that when speaking of El Secreto, one small sip is worth a thousand words.

El Teporocho

Casa Tradición, S.A. de C.V.
Lapislázuli 3244-201 B, colonia Residencial Victoria, 45089.
Zapopan, Jalisco. Tel: 52 (33) 3560 9415 / Fax: 52 (33) 3693 1120
www.tequilaspremium.com / info@tequilaspremium.com

Se dice que antiguamente, en uno de los barrios más tradicionales de la ciudad de México, existía una rígida ley seca. Algunos borrachos conocidos en el barrio acudían a tempranas horas con Doña Clementina, la propietaria de un pequeño desayunador donde se vendía un delicioso té a seis centavos. Pero se podía pedir, de manera clandestina, que por dos centavos más incluyera un poco de alcohol para sobrellevar las crudas de sus borracheras. Así, Doña Clementina ofrecía un té por ocho centavos. Al morir Doña Clementina, sus hijas comenzaron a llamar a esos borrachitos los te-por-ochos.

El tequila blanco El Teporocho fue llamado así para recordar esta leyenda. Elaborado para disfrutarse como los tequilas de antaño, este tequila puro y cristalino es envasado inmediatamente después de la segunda destilación, por eso conserva maravillosamente sus aromas que nos transportan a la región de los Altos de Jalisco.

Legend has *it that long ago, prohibition ruled in one of Mexico City's oldest neighborhoods. In the early hours each day, some of the local drunks would go to Doña Clementina's, a local breakfast haunt that sold delicious tea for six centavos. But for two centavos more, the proprietress would spike it with a little liquor as a cure for hangovers. And so, Doña Clementina sold tea for eight centavos—*"té por ocho centavos"*—and when her daughters took over the business, they called these early morning customers* "teporochos," *now a common Mexican term.*

This story inspired the creation of the blanco tequila, El Teporocho. Using traditional production methods, this clear, pure tequila is bottled immediately after the second distillation, allowing it to preserve its wonderful aromas that transport us to the Los Altos de Jalisco region.

Flor de Jalisco

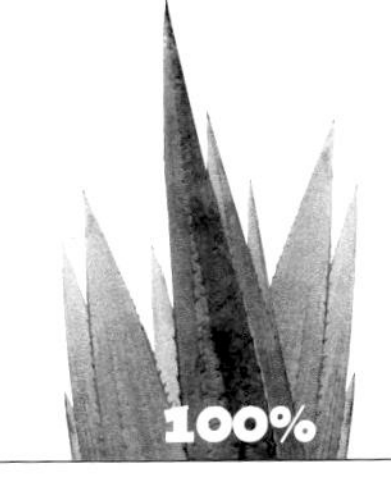

Flor de Jalisco es un tequila con sabor y tradición, hecho con una cuidadosa selección de agaves cosechados en las dos mejores regiones dentro de la denominación de origen. Éste es un tequila de producción artesanal resultado de la pasión y el orgullo con que se trabaja la tierra.

Tequila Flor de Jalisco conmemora la flor del agave, que debido a que su vida es muy corta, es conocida por muy pocos. Con su belleza incomparable, esta flor anuncia cuando el agave está listo para ser cosechado.

Para lograr la calidad que lo caracteriza, este destilado es guardado en barricas de roble blanco, donde adquiere su delicioso y fino sabor, muestra de la calidad de este producto, orgullosamente mexicano. Embotelladora San Lorenzo cuida esmeradamente todo el proceso de producción y el tiempo se encarga de brindarle el sabor a esta bebida ancestral.

***Flor de Jalisco** is a tequila with flavor and tradition, made from select agaves harvested in two prime areas within the designated tequila-producing region. This craft-produced tequila is the result of all the passion and pride that goes into cultivating this land.*

Tequila Flor de Jalisco pays tribute to the agave flower, which is only seen by a select few due to its short lifespan. This flower of incomparable beauty announces that the agave plant is ready to be harvested.

To achieve this tequila's distinctive quality, it is aged in white oak casks where it acquires its deliciously refined flavor, a demonstration of the quality of this proudly Mexican product. Embotelladora San Lorenzo carefully supervises the entire production process, while time and patience give this ancestral beverage its flavor.

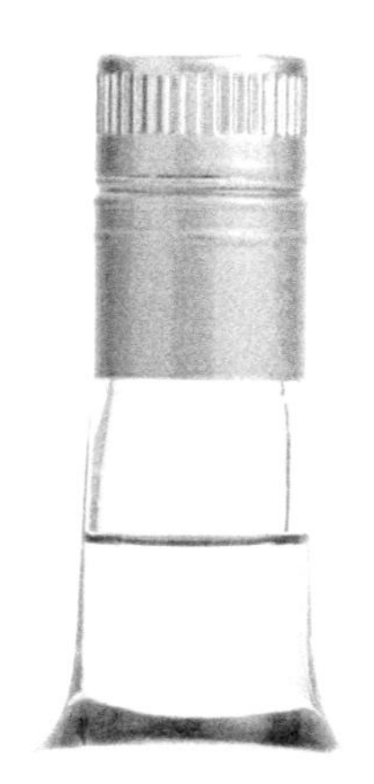

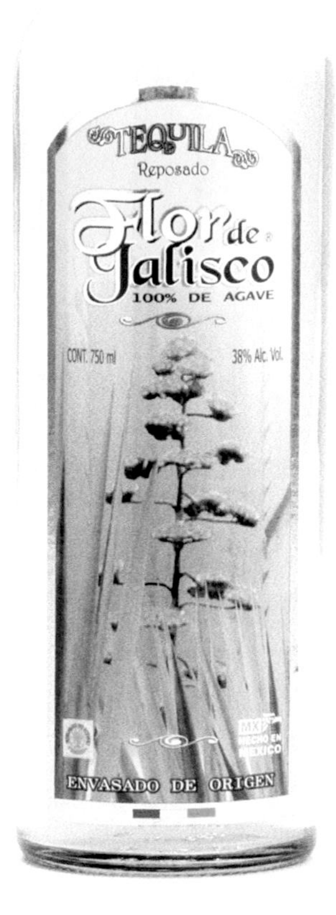

Embotelladora San Lorenzo, S.A. de C.V.
Jacarandas 51-1, colonia Jardines de Tepa, 47600. Tepatitlán de Morelos, Jalisco.
Tel. / Fax: 52 (378) 782 7550, 782 7560 y 782 7570
flordejalisco@gmail.com

Gran Centenario

Plata

Ex Hacienda Los Camichines
Reforma 100, 45430.
La Laja, Jalisco.

Tequila Gran Centenario Plata ofrece una suavidad difícil de encontrar en un tequila blanco. Con el delicado toque que el roble blanco le da, deja en el paladar un delicioso sabor a hierbas, aceituna y mantequilla. Este destilado se deja reposar en barricas de roble francés durante 28 días, logrando suavidad y sabor incomparables. Su color, ligeramente pajizo con matices plateados, es resultado de un proceso de producción denominado Selección suave, único de la línea Gran Centenario.

Ya sea en coctel o derecho, Gran Centenario Plata es una bebida que tiene el balance perfecto entre sabor y aroma.

Este tequila ha sido galardonado con el premio otorgado por la Academia Mexicana del Tequila, el Premio Diosa Mayahuel, y el que se otorga en la International Wine and Spirits Competition.

***Tequila Gran Centenario Plata** boasts a smoothness that is rare in a blanco tequila. This tequila's palate has the delicate flavor of white oak, with delicious notes of herbs, olives and butter. It is aged in French oak barrels for twenty-eight days, achieving a flavor and smoothness unlike any other tequila. These features, along with its light straw color with silvery hues, are the result of a production process known as Selección Suave, unique to Gran Centenario.*

Whether in cocktails or straight up, Gran Centenario Plata offers a perfect balance of flavor and bouquet.

This tequila's quality has been recognized with the Mayahuel Goddess Prize, which is awarded by the Mexican Academy of Tequila, and an award at the International Wine and Spirits Competition.

Gran Centenario
Reposado

100%

Ex Hacienda Los Camichines
Reforma 100, 45430.
La Laja, Jalisco.

Tequila Gran Centenario Reposado es un destilado vanguardista y sofisticado que supera a sus competidores. Su suavidad, aroma y calidad, son resultado del cuidado y la pasión con los que cientos de personas trabajan la tierra y siguen estrictos procesos de producción para obtener la mejor calidad. Este destilado reposa ocho meses en barricas de roble francés para adquirir características incomparables, como un delicioso aroma a madera, almendras tostadas, vainilla y clavo, digno de los gustos más refinados.

Producto del mejor agave azul, fruto de la tierra privilegiada de Jalisco, este reposado posee un inigualable color ámbar con matices dorados. Su sabor, dulce pero persistente, recuerda que es un tequila de clase mundial, avalado con los máximos reconocimientos en México y otros lugares del mundo. Cada botella de Gran Centenario Reposado es mucho más que un fino tequila.

Gran Centenario Reposado *is an avant-garde and sophisticated tequila that far outshines its competitors. Its smoothness, bouquet and quality are the result of the care and passion with which hundreds of people work the land and follow strict standards of production in order to achieve the highest quality possible. This distillate is aged for eight months in French oak barrels until it takes on incomparable qualities, including its delicious bouquet of wood, toasted almonds, vanilla and cloves that will please the most refined palates.*

Elaborated with the finest blue agave cultivated in Jalisco's privileged soil, this reposado has a jewel-like amber color with golden hues. Its sweet flavor with a persistent aftertaste is that of a world-class spirit. Each bottle of Gran Centenario Reposado is far more than a fine tequila.

Gran Centenario

Añejo

Ex Hacienda Los Camichines
Reforma 100, 45430.
La Laja, Jalisco.

Orgullo de la línea Gran Centenario, este añejo, apreciado por su extraordinario balance de aroma y sabor, supera las pruebas más exigentes. La personalidad de este destilado destaca por el cuidadoso añejamiento de tres años y por la paciencia con la cual el maestro tequilero selecciona y mezcla metódicamente las reservas de tequilas añejos.

Con un sutil aroma a agave cocido, almendras tostadas, vainilla y clavo, y por su calidad y sabor incomparables, ha sido acreedor a diversos premios. Similar a un fino *cognac*, se recomienda degustarlo solo o en las rocas.

Gran Centenario Añejo, lo mismo que sus presentaciones en blanco y reposado, se ofrece en una botella de líneas verticales y ángulos rectos, que fue diseñada en 1920 por Luciano Gallardo, hijo del maestro tequilero que creó Gran Centenario. En la década de 1990, el diseño fue ajustado por Marcus Klim, quien conservó el emblemático ángel que evoca esta fina marca.

The pride of the Gran Centenario line, *this añejo is famed for its extraordinary balance of flavor and aroma, passing the most rigorous tests with flying colors. Its personality stands out from among other añejo tequilas for its three-year aging process and the patient manner with which the master taster methodically selects and blends different vintages of añejo tequila.*

With a subtle bouquet of baked agave, toasted almonds, vanilla and cloves, this tequila's incomparable flavor and quality have garnered it several awards. Drinking Gran Centenario Añejo is like drinking a fine cognac, and it is best served neat or on the rocks.

Like the blanco and the reposado, Gran Centenario Añejo is sold in a linear, angular bottle designed in 1920 by Luciano Gallardo, the son of the master taster who created Gran Centenario. In the 1990s, the design was modified by Marcus Klim, but he conserved the angel that is the emblem of this refined tequila.

Gran Centenario Azul

Ex Hacienda Los Camichines
Reforma 100, 45430.
La Laja, Jalisco.
www.azulcentenario.com

La tradición del tequila ha traspasado fronteras y también generaciones. Por esto se creó Azul, un tequila reposado del sello Gran Centenario dirigido a la nueva generación.

Durante dos meses, Azul reposa en barricas de roble americano quemado, del cual adquiere un aroma a plátano, manzana, vainilla, madera y flores. Su color amarillo paja y su sabor con un ligero toque amargo, lo hacen la bebida ideal para las noches de ambiente y diversión. La fina suavidad de este tequila hace que se pueda disfrutar solo o mezclado en un Charro azul o una Paloma.

Tequila Azul rescata la tradición tequilera para presentarla con una imagen fresca que conserva la esencia fuerte del tequila.

***The tradition of tequila** has crossed borders and also generations. This fact was the inspiration for Gran Centenario Azul, a reposado tequila tailored to the new generation.*

As it ages for two months in charred American oak barrels, Gran Centenario Azul acquires a bouquet with banana, apple, vanilla, woody and floral notes. Its straw-yellow color and slightly bitter flavor make it an ideal beverage for any social gathering. It is smooth enough to be taken neat, but flavorful enough to be mixed in a cocktail like the Charro Azul or the Paloma.

Tequila Azul marks a return to the tradition of tequila, with a novel presentation that conserves the robust essence of this beverage.

Gran Centenario Azul Gran Reserva

Ex Hacienda Los Camichines
Reforma 100, 45430.
La Laja, Jalisco.

La experiencia y la tradición deben legarse a las nuevas generaciones. Por eso se creó Gran Centenario Azul Gran Reserva para los paladares más jóvenes. Este destilado es producto de agaves cuidadosamente seleccionados que, por sus características, son dignos de llevar este nombre.

Este fino licor se produce mediante un proceso artesanal en el que los agaves son cocidos en hornos de piedra. Después, es cuidadosamente añejado y, finalmente, tras un meticuloso proceso en el cual el maestro tequilero rescata las más sutiles esencias del agave, surge un tequila de sabor elegante y profundo, que muestra que el principal atributo de Gran Centenario Azul Gran Reserva es el justo balance entre suavidad y sabor.

***Experience and tradition** are values that are passed on from generation to generation, and Gran Centenario Azul Gran Reserva was created for the younger generation. This tequila is made from select agaves that are worthy of the Gran Centenario name.*

This fine liquor is crafted according to a traditional process that involves baking the agaves in stone ovens. The tequila is carefully aged, culminating in a process by which the master taster draws out the most subtle essences of the agave to produce a complex, elegant tequila that demonstrates that Gran Centenario Azul Gran Reserva's main attribute is its perfect balance between smoothness and flavor.

Gran Centenario Leyenda

100%

Ex Hacienda Los Camichines
Reforma 100, 45430.
La Laja, Jalisco.

Este tequila de edición limitada representa orgullosamente el secreto mejor guardado de los Altos de Jalisco, ya que Don Lázaro Gallardo, el maestro tequilero que creó la línea Gran Centenario, lo guardaba para sus invitados más distinguidos y familiares cercanos.

Gran Centenario Leyenda es un tequila hecho con agaves cuidadosamente escogidos. Después de una doble destilación, se deja añejar en barricas de roble blanco francés que, utilizadas por primera vez, brindan el equilibrio perfecto para obtener un tequila suave y de cuerpo aterciopelado que revela una exquisita gama de sabores a canela, almendra y vainilla, con un delicado toque a madera, ligeramente dulce.

Gran Centenario Leyenda es un licor que recoge lo más noble de la tierra para depositarlo en una botella de gran personalidad y clase. Sin duda, es uno de los tequilas más reconocidos de México, tierra de tradiciones y leyendas.

This limited-edition *tequila proudly holds the best-kept secret of Los Altos de Jalisco, as it is the tequila that Lázaro Gallardo—the master taster who created the Centenario line—kept for his most distinguished guests and close family members.*

Gran Centenario Leyenda is made from carefully selected agaves. Following a double distillation, it is aged in new French white oak barrels which provide the perfect balance to achieve a smooth tequila with a velvety body that reveals an exquisite range of flavors such as cinnamon, almond and vanilla, with slightly sweet woody notes.

Gran Centenario Leyenda is a spirit that harvests the noblest things from this land and puts them in a bottle with great personality and class. Clearly it is one of the best-known tequilas of Mexico, a land of traditions and legends.

Herencia de Plata

Tequilas del Señor, S.A. de C.V.
Río Tuito 1193, colonia Atlas, 44870. Guadalajara, Jalisco.
Tel: 52 (33) 5000 5204 / Fax: 52 (33) 5000 5229
www.tequilasdelsenor.com.mx / ana.moreno@tqds.com.mx

Herencia de Plata nace en 1997. Su nombre alude a la tradición, a los valores de la familia y a la calidad de la plata mexicana.

Con la característica botella de Tequilas del Señor, Herencia de Plata Blanco tiene matices plateados ligeramente azules, y su sabor a menta, eucalipto, mantequilla y frutas, lo hacen un deleite al paladar. El reposado, con sabor a durazno, manzana, chabacano, cereza y madera, deja notas de vainilla, coco y caramelo tras su sedoso paso por el paladar. El añejo posee notas de caramelo, especias, madera y frutas, que lo hacen una bebida vibrante, impetuosa y refinada.

Herencia de Plata está presente en América, Europa, Asia y Oceanía, y goza de reconocimiento nacional e internacional. Fue degustado por la reina Isabel II y el lord Alderman durante la cena del 12 de noviembre del 2002 en el Guildhall, cuando el expresidente Vicente Fox visitó Inglaterra.

Herencia de Plata *was launched in 1997. Its name alludes to tradition, family values and the quality of Mexican silver.*

With the characteristic Tequilas del Señor bottle, Herencia de Plata Blanco has a silvery blue color and notes of mint, eucalyptus, butter and fruit, making it a delight to the senses. Herencia de Plata Reposado has peach, apple, apricot, cherry and woody notes, and a silky palate with a vanilla, coconut and caramel finish. The añejo has caramel, spicy, woody and fruity notes, making it a vibrant, impetuous and refined tequila.

Herencia de Plata is available in the Americas, Europe, Asia and Oceania, and its quality has garnered national and international recognition. Queen Elizabeth II and the Lord Mayor of London, enjoyed this tequila with dinner at the Guildhall on November 12, 2002, during the former president Vicente Fox's visit to England.

Herencia
de Plata
Tequila
Blanco

TEQUILA BLANCO
Herencia
de Plata®
100% PURO DE AGAVE
38% Alc. Vol.
CONT. NET. 750 ml

TEQUILA
Herencia
de Plata
TEQUILA REPOSADO
Herencia
de Plata®
100% PURO DE AGAVE
38% Alc. Vol.
CONT. NET. 750 ml

Herencia Histórico

27 de Mayo Solera '97

El 27 de mayo de 1997 es una fecha histórica, ya que se reconoció en la Unión Europea la denominación de origen del tequila. Para festejar este acontecimiento, ese día se llenaron cien barricas de roble de 500 litros cada una, importadas de Jerez, España, con la mejor selección de Tequilas del Señor, 100% agave azul.

Así surgió Herencia Histórico 27 de Mayo Solera '97, un destilado de producción limitada, sabor suave y un aroma nunca antes obtenido. De color ámbar intenso, una elegante armonía floral y frutal con matices de manzanilla, avellana, almendra, nueces tostadas, maple, cocoa y caramelo, es un tequila de gran personalidad y cuerpo que se exporta a América y Europa. Único en su clase, está contenido en un elegante estuche de roble y se acompaña de una copa Riedel.

Ha obtenido reconocimientos nacionales e internacionales, como en el Superior Taste Award, el concurso de la Academia Mexicana del Tequila, la San Francisco World Spirits Competition y la Feria Prodexpo en Moscú.

May 27, 1997 *marked the day when the European Union recognized tequila's designation of origin. To celebrate that historic event, 100 500-liter oak barrels imported from Jerez, Spain, were filled with the finest Tequila del Señor made from 100% blue agave.*

This was the origin of Herencia Histórico 27 de Mayo Solera '97, a limited-edition tequila with a smooth flavor and a distinctive bouquet. With its intense amber color, elegant floral and fruity harmony and hints of chamomile, hazelnut, almond, toasted pecans, maple, cocoa and caramel, this is a tequila with excellent personality and body. This one-of-a-kind product is sold in an elegant oak case also containing a Riedel tequila glass.

Herencia Histórica 27 de Mayo has earned national and international recognition, including the Superior Taste Award and prizes from the Mexican Academy of Tequila, the San Francisco World Spirits Competition and the Prodexpo Fair in Moscow.

Tequilas del Señor, S.A. de C.V.
Río Tuito 1193, colonia Atlas, 44870. Guadalajara, Jalisco.
Tel: 52 (33) 5000 5204 / Fax: 52 (33) 5000 5229
www.tequilasdelsenor.com.mx / ana.moreno@tqds.com.mx

Herradura

Blanco

Casa Herradura
Comercio 172, Sector Juárez, colonia Mexicaltzingo, 44180.
Guadalajara, Jalisco. Tel: 52 (33) 3942 3900
www.herradura.com.mx

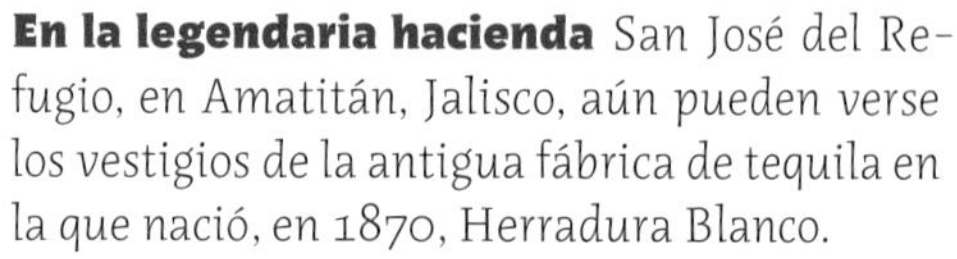

En la legendaria hacienda San José del Refugio, en Amatitán, Jalisco, aún pueden verse los vestigios de la antigua fábrica de tequila en la que nació, en 1870, Herradura Blanco.

Este tequila, de 46° de alcohol y de cuerpo espeso, tiene un delicioso e intenso aroma a agave cocido. Su color cristalino y transparente hace de Herradura Blanco un tequila de reconocida personalidad. Por eso es uno de los tequilas preferidos por los más exigentes bebedores de México y otros países. Herradura Blanco es el tequila más legendario de la familia Herradura.

***At the legendary** Hacienda San José del Refugio in Amatitán, Jalisco, visitors can still see the old tequila factory's facilities where Herradura Blanco was created in 1870.*

This thick-bodied spirit with an alcohol content of 46% has a deliciously intense aroma of baked agave. Herradura Blanco's crystalline transparency lends it its distinctive personality, which makes it one of the favorite tequilas of discriminating drinkers in Mexico and abroad. Herradura Blanco is the Herradura family's most legendary tequila.

Herradura

Reposado

Casa Herradura
Comercio 172, Sector Juárez, colonia Mexicaltzingo, 44180.
Guadalajara, Jalisco. Tel: 52 (33) 3942 3900
www.herradura.com.mx

En el valle de Amatitán, Jalisco, después de cruzar un antiguo puente por el que pasa el ferrocarril, se encuentra la hacienda San José del Refugio, un importante escenario de la historia del tequila. Junto a los exuberantes jardines de la Casa grande se encuentra la destilería en la que se produce Herradura Reposado, un tequila de gran cuerpo, luminosidad, transparencia y brillo. Su sabor único se debe a que reposa durante once meses en barricas de roble blanco americano.

Herradura es el primer tequila reposado que ha seducido a los conocedores de todo el mundo. Debido a su proceso natural y al cuidado en su destilación y reposo, este tequila está diseñado para disfrutarse derecho y conservar en el paladar el inolvidable sabor de los mejores agaves con que se produce Herradura Reposado, único en el mundo.

In the Amatitán *valley of Jalisco, after crossing an old railway bridge, one comes to the Hacienda San José del Refugio, a highly significant place in the history of tequila. Next to the beautiful gardens of the hacienda's Casa Grande, we find the distillery that produces Herradura Reposado, a luminous, sparkling tequila with a wonderful body and clarity. This spirit acquires its unique flavor after being aged in American white oak barrels for eleven months.*

Herradura is the first reposado tequila to have seduced connoisseurs from all over the world. Due to its careful distillation and natural aging process, Herradura Reposado is meant to be enjoyed straight, allowing the unforgettable flavor of the fine agaves with which it is made to linger on the palate.

Herradura

Añejo

Casa Herradura
Comercio 172, Sector Juárez, colonia Mexicaltzingo, 44180.
Guadalajara, Jalisco. Tel: 52 (33) 3942 3900
www.herradura.com.mx

Si ha existido un tequila capaz de sorprender a los mejores catadores del mundo, ése es Herradura Añejo, que ha sido comparado con los más finos licores de todo el mundo. De color ámbar con matices dorados, este exquisito tequila sabe destacar las tesituras del agave en una justa mezcla con tonos de canela y notas frutales. Su dulce aroma evoca los hornos donde se cocinan sus mieles. Su cuerpo generoso y toque dulzón lo hacen un excelente digestivo, acompañante ideal de un buen puro.

***If ever there was a tequila** with the ability to surprise professional tasters around the globe, it is Herradura Añejo, which has been compared to some of the world's finest spirits. This exquisite amber-colored tequila with golden hues allows the qualities of agave to stand out in a perfect blend with fruity notes and a hint of cinnamon. Its sweet aroma evokes the ovens where the agave sugars are cooked. Its generous body and touch of sweetness make it an excellent digestive, the ideal accompaniment to a good cigar.*

Herradura Suave 35°

100%

Casa Herradura
Comercio 172, Sector Juárez, colonia Mexicaltzingo, 44180.
Guadalajara, Jalisco. Tel: 52 (33) 3942 3900
www.herradura.com.mx

Hay quien prefiere saborear en un tequila los delicados tonos del agave. Para estos sofisticados paladares, Casa Herradura creó Suave 35° Reposado, un tequila de menor gradación alcohólica, de donde proviene su nombre. Es ideal para que los jóvenes, que se inician en el mundo del tequila, conozcan el sabor de las mieles del agave azul. Ideal para mezclarse con refresco, preparar diversos cocteles o disfrutarse derecho.

Some people prefer *a tequila with delicate agave notes. For these sophisticated palates, Casa Herradura created Suave 35° Reposado, a tequila whose name denotes its lower alcohol content. It is ideal for young people who are newcomers to the world of tequila but would like to acquaint themselves with the flavor of blue agave distillates. It can be served straight, in cocktails or mixed with soft drinks.*

Jose Cuervo Especial

Casa Cuervo, S.A. de C.V.
Río Churubusco 213, colonia Granjas México, 08400. México, D.F.
Tel: 52 (55) 5803 2400 / Fax: 52 (55) 5803 2408
www.cuervo.com

Una de las dinastías tequileras más tradicionales es la que fundó José Antonio Cuervo en 1758. Cuatro décadas después, José María Guadalupe Cuervo, heredero de este linaje, obtuvo la primera licencia real para producir el entonces llamado "vino mezcal". Desde entonces, la vida de los Cuervo, la cotidianidad del pueblo de Tequila y el gusto por una bebida con carácter se comenzaron a entretejer en una historia que aún no ha terminado de escribirse. Un tequila como Jose Cuervo Especial, el más conocido y vendido del mundo, sólo podía provenir de una destilería con tanta tradición. Su dulce sabor amaderado puede tomarse derecho o disfrutarse en los más sofisticados cocteles. Jose Cuervo Especial posee un gusto suave y refinado que lo ha convertido en embajador de México, pues actualmente puede encontrarse en más de noventa países.

One of the longest-standing dynasties *in the tequila industry was founded by José Antonio Cuervo in 1758. Four decades later, his heir José María Guadalupe Cuervo was awarded the first royal license to produce what was then called* vino mezcal. *Since that time, daily life in the Cuervo family and in the town of Tequila go hand-in-hand with the enjoyment of a beverage with character, in a history that is still being written.*

Jose Cuervo Especial, which is the bestselling and best-known tequila in the world, could only come from a distillery such as this. This age-old tradition has produced a tequila with sweet, slightly woody notes that may be enjoyed neat or in sophisticated cocktails. Jose Cuervo Especial's smooth, refined flavor has made it Mexico's ambassador to more than ninety countries.

Jose Cuervo Platino

100%

Jose Cuervo se siente orgulloso de poder compartir un tesoro que durante años ha sido el deleite de la familia. Elaborado con los más finos y selectos agaves del valle de Tequila, Jalisco, Jose Cuervo Platino es un destilado *ultra premium* como ningún otro. Su delicado aroma posee tonos de vainilla y roble, y su sabor, el balance perfecto entre la suave esencia del agave y un tenue toque de pimienta.

Reserva de La Familia Platino es elaborado mediante un proceso único, conocido como esencia de agave, que revive el carácter fuerte, el sabor y la esencia de esta planta. Resultado de más de 200 años de experiencia y tradición, Jose Cuervo Platino mantiene vivo el legado familiar desde 1795.

***Jose Cuervo** is proud to share with its customers a treasure that was once reserved for the Cuervo family's private enjoyment. Crafted from the finest hand-selected blue agaves from the Valley of Tequila, Jalisco, Jose Cuervo Platino is an ultra-premium plata tequila like no other. Its delicate bouquet features notes of vanilla and oak. On the palate, a balance of pepper and soft agave flavors lead to a smooth, mellow finish.*

Jose Cuervo Reserva de la Familia Platino is the result of a unique process known as essence of agave, which brings the full character, flavor and essence of the agave plant to life. The product of more than 200 years of experience and tradition, Jose Cuervo Platino is the embodiment of a family tradition that began in 1795.

Casa Cuervo, S.A. de C.V.
Río Churubusco 213, colonia Granjas México, 08400. México, D.F.
Tel: 52 (55) 5803 2400 / Fax: 52 (55) 5803 2408
www.cuervo.com

Jose Cuervo Tradicional

Casa Cuervo, S.A. de C.V.
Río Churubusco 213, colonia Granjas México, 08400. México, D.F.
Tel: 52 (55) 5803 2400 / Fax: 52 (55) 5803 2408
www.cuervo.com

Como vemos en las películas de la Época de Oro del cine nacional, no hay mejor compañero que una botella de Jose Cuervo Tradicional. Junto a ella, el mexicano celebra lo mismo sus alegrías que sus tristezas. Cómplice inseparable, confidente y compañero, un caballito de Jose Cuervo Tradicional refleja el rostro de nuestro país: es libre, bravo, seductor, franco, sensible, claro y riguroso.

Jose Cuervo Tradicional es un tequila 100% agave, cuyo sabor suave se debe a que reposa en barricas de roble blanco americano.

Este destilado mantiene con vida el legado de los primeros productores de tequila y desde 1975 es la orgullosa representación de Jose Cuervo, que en sus más de 210 años ha mostrado el orgullo, las costumbres, la alegría y las tradiciones de nuestro México. Se recomienda disfrutarlo congelado si se desea saborear un tequila de notas delicadas.

***Films from the Golden Age** of Mexican movies show us that nothing compares to a bottle of Jose Cuervo Tradicional, Mexicans' faithful companion as they give voice to their joys and pains alike. As a cohort and confidant, a caballito of Jose Cuervo Tradicional reflects the face of our country: free, brave, seductive, forthright, transparent and honorable.*

Jose Cuervo Tradicional is 100% pure agave tequila whose smooth flavor is the result of aging in American white oak barrels.

This distillate has kept alive the legacy of the original producers of tequila, and since 1975, it has been the pride of Jose Cuervo, which for more than 210 years has been bringing Mexican customs, traditions, joy and honor to the world. It is best served straight from the freezer to bring out the delicate notes of this tequila.

La Doña

Tequilas de La Doña, S.A. de C.V.
Tlapexco 25, colonia Palo Alto, Cuajimalpa. 05110,
México, D.F. Tel: 52 (55) 5259 5432 / Fax: 52 (55) 5570 7119
www.tequilasdeladona.com / info@tequilasdeladona.com

Si sólo pudiéramos mencionar una de sus características, diríamos que La Doña tiene el balance perfecto entre la elegancia, la tradición y el abolengo que sugiere su nombre, y su presentación vanguardista alejada de los estereotipos. La hermosa botella en la que se envasa La Doña nos invita a hacer un viaje imaginario a un campo de agave, y el sabor y el *bouquet* de su contenido seducen los sentidos.

Para conmemorar la primera década de la empresa, sus productores lanzaron al mercado esta línea de tequilas 100% puros de agave, que combinan perfectamente un delicioso y amable sabor, con el aroma del agave, el roble y las especias. Con una presentación espectacular, La Doña es una celebración a la excelencia, que justifica que sea llamada orgullosamente "la marca de la casa".

If we could only mention *one of its characteristics, we would say that La Doña achieves the perfect balance between elegance, tradition and the proud ancestry that its name suggests, while its avant-garde presentation shuns stereotyping. La Doña's beautiful bottle invites us to undertake an imaginary journey to an agave field, while the spirit's flavor and bouquet seduce one's senses.*

To commemorate the company's tenth anniversary, producers launched this line of 100% pure agave tequila that perfectly blends a delicious, agreeable flavor with the aroma of agave, oak and spices. La Doña's spectacular presentation celebrates its excellence, amply justifying the fact that it is proudly called "the house brand."

"Barrica Pack"

La Picota

Con sabor a Tamaulipas

Montaña Sol y Cactus, S. de R.L.M.I.
Carretera Victoria-Monterrey kilómetro 12 s/n, Ejido Laborcitas.
Cd. Victoria, Tamaulipas. Tel: 52 (834) 123 0071
www.lapicotaconsaboratamaulipas.com.mx

Para hacer honor a la picota, baile y música tradicionales tamaulipecos, Sergio Niebla Álvarez creó, en 1999, el Tequila La Picota. Este destilado, de color brillante y cuerpo generoso, es resultado de un cuidadoso proceso de producción en el cual se rescata lo mejor del agave.

Por sus características, es ideal para disfrutarse solo, y ya sea blanco, reposado o añejo, el carácter afrutado de este licor da gusto a todos los paladares. Su botella, que tiene la forma de las antiguas damajuanas, es el envase ideal para este destilado 100% puro de agave. La Picota es la muestra de que en Tamaulipas, tierra de filósofos y soñadores, también se hace tequila.

In 1999, *Sergio Niebla Álvarez created a tequila which he named La Picota de Tamaulipas, paying tribute to one of this state's regional dances and a type of music known as La Picota. This distillate's sparkling color and generous body are the result of a careful production process that retains the agave plant's finest qualities.*

Due to these characteristics, La Picota de Tamaulipas Blanco, Reposado and Añejo are best served straight, as their fruity notes are a delight to any palate. The bottle, shaped like an old-fashioned demijohn, is the ideal container for this 100% pure agave liquor. La Picota is proof positive that high-quality tequila can also be produced in Tamaulipas, a land of philosophers and dreamers.

Lapis

Descubierto hace seis mil años, el lapislázuli ha sido atesorado por nobles y reyes, quienes han admirado su profundo color azul. Este emblemático elemento rememora los campos de agave azul que engalanan el paisaje agavero mexicano, declarado Patrimonio de la Humanidad por la UNESCO.

Esta feliz coincidencia impulsa en 1993 la creación de Tequila Lapis, concebido con los más altos estándares de autenticidad y calidad que representan en todo el mundo los sabores, aromas, formas y colores de nuestro México.

En sus versiones de platinum, reposado y añejo, ha sido galardonado en catas internacionales y en la Academia Mexicana del Tequila, que le otorgó el primer lugar en la categoría de tequilas blancos 100% agave.

Su declarada finura y suavidad, su complejo aroma y su sabor equilibrado, han llevado la dimensión del tequila a su máxima expresión.

***Kings and nobles** have cherished lapis lazuli for its deep blue color since its discovery six thousand years ago. This emblematic mineral brings to mind the fields of blue agave that cover the tequila-producing regions of Mexico, which have been declared a World Heritage Site by UNESCO.*

In 1993, this similarity inspired the creation of Tequila Lapis, elaborated according to high standards of quality and authenticity to bring the flavors, aromas, forms and colors of Mexico to the world.

Its different presentations—platinum, reposado and añejo—have won awards at international competitions and from the Mexican Academy of Tequila, which gave it first place in the category of 100% agave blanco tequila.

Its acclaimed elegance and smoothness, complex bouquet and balanced flavor have taken tequila to its ultimate expression.

IMPORTED
AÑEJO
TEQUILA
LAPIS®
100% Premium Blue Agave
Estate Grown & Bottled in México
Cont Net 750 ml

Tequileña, S.A. de C.V.
Distribuidor: Casa Xalixco, S.A. de C.V.
Venezuela 425, colonia Americana, 44600, Guadalajara, Jalisco.
Tel: 52 (33) 3826 8070 / Fax: 52 (33) 3827 0249 www.casaxalixco.com.mx

Los Abuelos

Tequila Los Abuelos
Vicente Albino Rojas 22, colonia Centro, 46400.
Tequila, Jalisco. Tel 52 (374) 742 0247
abuelo@losabuelos.com / www.losabuelos.com

Tequila Los Abuelos se elabora por Don Guillermo utilizando los métodos artesanales tradicionales establecidos por su tatarabuelo.

Tequila Los Abuelos se produce en su totalidad dentro de la finca de la familia en la antigua destilería La Fortaleza, de más de un siglo de antigüedad. Esta propiedad se ubica en la ciudad de Tequila, a una altura de 1 200 metros, en un valle en la ladera norte del Cerro de Tequila, que tiene una altura de 2 920 metros.

Los Abuelos se elabora en pequeños lotes, y se utiliza 100% agave azul maduro, el cual se cuece en hornos de mampostería, se muele en tahona de piedra y es destilado en alambiques de cobre, utilizando los mismos métodos artesanales que han permanecido en la familia a través de cinco generaciones.

Los Abuelos produce tequila blanco, reposado y añejo. El blanco tiene todo el sabor del agave azul, el cual es increíblemente suave y agradable al paladar. El reposado, añejado seis meses en barricas de roble, tiene un toque de esta madera con un ligero dejo a pimienta. El añejo, que espera durante tres años, toma un sabor más profundo del roble, pero es suave y terso al paladar, y posee un agradable gusto. El método artesanal con el cual se elabora hace que sea de producción limitada, pero siempre encontrará una botella de Tequila Los Abuelos cuando visite el museo de la familia, ubicado frente a la plaza principal en Tequila, Jalisco.

Tequila Los Abuelos *is hand-crafted by Don Guillermo using artisanal traditions originally established by his* tatarabuelo, *or great-great-grandfather.*

Los Abuelos tequila is entirely produced in Tequila, Jalisco, within the walls of the family estate at the century-old distillery named La Fortaleza. The family estate is located at 1200 meters on the north slope of the 2920-meter-high Cerro de Tequila. Los Abuelos is crafted in small batches using only 100% mature blue agave that is brick-oven cooked, stone-milled with the tahona, *and copper-pot distilled using family traditions handed down for the past five generations. Los Abuelos produces a blanco, a reposado and an añejo. The blanco has the full flavor of the blue agave and is exceptionally smooth with a clean finish. The reposado, rested six months in oak barrels, has a hint of this wood and finishes superbly with a slight touch of pepper. The añejo, aged three years in oak barrels, has a medium oak essence and is velvety smooth on the palate with an amazing clean and silky finish. Although the Los Abuelos artisanal methodology limits production, you can always find a bottle at the family museum, located on the central plaza in Tequila, Jalisco, Mexico.*

Los Azulejos
Ultra premium tequila

Ventas México: B&B Vinos, S.A. de C.V. Tel: 52 (55) 5540 0174 eperez@bbvino.com.mx
Agaves Procesados, S.A. de C.V. Tel: 52 (55) 5363 2882 pedro@tequilalosazulejos.com
Ventas E.U.: 00 (210) 867 6274 chris@tequilalosazulejos.com

Los Azulejos es una de las marcas más profundas de lo mexicano, lo mismo que el paisaje insondable de los campos de agave, y el sabor profundo de su licor. Tequila Los Azulejos asocia estos elementos para dar cuenta de un México creativo y con tradición. Y, por eso, en una bella licorera de vidrio soplado, color azul cobalto, nos ofrece un destilado que sigue una receta antigua, guardada celosamente por los propietarios de esta fábrica desde hace cien años.

Esta fina bebida puede encontrarse en clases plata, reposado y añejo; esta última está envasada en una hermosa botella de talavera como homenaje a este tradicional arte. Esta marca ha sido reconocida por las revistas *Robb Report* y *Wine Enthusiast Magazine*. Y se exporta a los Estados Unidos.

***Los Azulejos** is one of the tequila brands that can be most profoundly identified with Mexico, like the unfathomable landscape of the agave fields and the intense flavor of the liquor they produce. Los Azulejos blends these elements to showcase Mexican tradition and creativity. Its lovely cobalt-blue blown-glass decanter contains a tequila that is made according to the secret formula that the proprietors of this factory have carefully guarded for the past hundred years.*

This fine liquor is available as plata, reposado and añejo. The latter is bottled in a beautiful hand-painted Talavera ceramic bottle in homage to this traditional art form. The brand has been praised by the magazines Robb Report and Wine Enthusiast, and is available in the United States.

Los Tres Toños

En el año 2003, el señor Dionisio Real Rivera creó Tequila Los Tres Toños. Ya sea blanco, reposado o añejo, es un producto 100% agave de Amatitán, Jalisco, que representa dignamente a esta región de tierra rojiza y arcillosa.

Tequila Los Tres Toños Blanco posee un agradable aroma y un sabor perdurable. En su presentación de lujo se rescata el trabajo de los artesanos, quienes hacen de cada etiqueta realizada en repujado una pieza única. Los Tres Toños Reposado tiene un delicado toque de especias, por lo que deja en el paladar de quien lo bebe ecos de vainilla. Los Tres Toños Añejo, de carácter generoso y con gran personalidad, es una bebida ideal para los paladares más exigentes. En poco tiempo saldrá al mercado Los Tres Toños Extra añejo.

En su botella, diseñada por Roberto Real Reynoso, se aprecia la clase de este tequila, que se exporta a Estados Unidos y a Suecia, y que demuestra que Amatitán es la tierra del mejor tequila.

Dionisio Real Rivera *created Tequila Los Tres Toños in 2003. Available as blanco, reposado and añejo, this 100% agave spirit from Amatitán, Jalisco, is a worthy representative of this region of red clay soil.*

Los Tres Toños Blanco has a pleasant bouquet and a lingering flavor. Its deluxe presentation features a one-of-a-kind handcrafted repoussé label on each bottle. Los Tres Toños Reposado has a slightly spicy bouquet, and finishes with echoes of vanilla. Los Tres Toños Añejo has a rich flavor and a strong personality, making it the perfect choice for more demanding palates. Los Tres Toños extra-añejo will be available soon.

The bottle designed by Roberto Real Reynoso reflects the high class of this tequila which is exported to the United States and Sweden. Anyone who tries it will realize that the region of Amatitán produces the best tequila in Mexico.

Tequila Selecto de Amatitán, S.A. de C.V.
Camino a la Villa de Cuerámbaro kilómetro 2, 45380.
Amatitán, Jalisco. Tel. / Fax: 52 (374) 745 0690
www.tequilaselectoamatitan.com.mx / teqselectoamatitan@prodigy.net.mx

Maestro Tequilero
Blanco

100%

En la transparencia del tequila se adivina un esmerado proceso de elaboración artesanal que cobra la forma de un ritual que se lleva a cabo una vez al año.

Para obtener lo mejor de la tierra, este destilado se produce tras una rigurosa selección del agave, que con el cuidado y la dedicación de los expertos se siembra en un solo potrero, se jima antes de la época de lluvias y se cuece en hornos de piedra para asegurar una esencia única.

Con una exquisita y armónica conjunción de aromas frutales y herbales, el carácter de los mejores agaves y un insuperable *bouquet*, Maestro Tequilero Blanco se distingue por sus notas sutilmente finas a la boca. Cada botella de este fino destilado está numerada a mano, lo que asegura que su producción sea limitada.

***Maestro Tequilero Blanco's** transparency is the result of a painstaking process that has turned into a genuine annual ritual.*

To obtain the very best the land has to offer, this distillate is made from select agaves which are planted together in a single field and expertly harvested prior to the rainy season. They are then baked in stone ovens to enhance their flavor.

With an exquisite, harmonious blend of fruit and herbal essences, the finest agave plants and an unequaled bouquet, Maestro Tequilero Blanco is distinguished by its smooth velvety flavor and subtle, refined finish. Each bottle of this fine distillate is hand-numbered, ensuring limited production.

Maestro Tequilero, S.A. de C.V.
Guillermo González Camarena 800, piso 4,
colonia Santa Fe, 01210. México, D.F.
Tel: 52 (55) 5258 7000

Maestro Tequilero

Reposado

Maestro Tequilero, S.A. de C.V.
Guillermo González Camarena 800, piso 4,
colonia Santa Fe, 01210. México, D.F.
Tel: 52 (55) 5258 7000

Este reposado está elaborado con la sabiduría de nuestros maestros tequileros. Maestro Tequilero Reposado es un destilado de gran cuerpo que, al igual que las distintas variedades de la línea, es resultado de un proceso de producción artesanal.

El cuidado con el que se produce inicia desde la selección de los mejores agaves, que son sembrados exclusivamente para producir este destilado. La fermentación con finas levaduras y su doble destilación en alambiques de cobre, dan como resultado un tequila perfectamente puro. Gracias a que permanece en barricas de roble blanco, americano y francés, por lo menos durante seis meses, adquiere las virtudes de la madera. Por eso, cualquier conocedor podrá distinguir en Maestro Tequilero Reposado un inconfundible sabor heredado del roble.

This reposado tequila *is made with the wisdom of our tequila masters. It is a distillate with a full body and, like all the other presentations of Maestro Tequilero, it is the result of a craft production process.*

The care that goes into its manufacture begins with the selection of the finest agaves, which are planted exclusively for the production of this distillate. Fermentation with fine yeasts and double distillation in copper alembics produces a perfectly pure tequila. After six or more months' aging in French, American and white oak barrels, any connoisseur will be able to recognize the unmistakable sweet flavor of oak.

Maestro Tequilero

Añejo

Maestro Tequilero, S.A. de C.V.
Guillermo González Camarena 800, piso 4,
colonia Santa Fe, 01210. México, D.F.
Tel: 52 (55) 5258 7000

Este añejo es la más pura expresión del arte tequilero, ya que se trata de la producción más exclusiva de toda la línea Maestro Tequilero.

Los productores de tequila saben que el tiempo es un aliado. Ellos conocen perfectamente su valor. Por ello, a partir de que se siembra, hay que esperar entre ocho y nueve años para que el agave adquiera el grado de madurez requerido. Además, el tiempo de reposo de este destilado excede al establecido por la norma, ya que permanece durante 18 meses en pequeñas barricas de roble americano y francés.

Una bebida elaborada con tal entrega y dedicación sólo puede llevar el nombre de quien es responsable de los detalles más finos en la elaboración del tequila: el Maestro Tequilero.

This añejo *is the purest expression of the art of tequila, as it is the most exclusive product in the Maestro Tequilero line.*

Tequila producers are well aware that time is their valued ally. After the agave is sowed, there is an eight- to nine-year waiting period while the plant matures. Moreover, the aging period for this distillate exceeds the established norm, as it spends eighteen months in small French or American oak barrels.

A spirit made with such care and dedication could only bear the name of the person responsible for the finer details of the tequila-production process: the maestro tequilero or tequila master.

Mi Tierra

Tequilera de la Barranca de Amatitán, S.A. de C.V.
Pichón 1356, colonia Morelos, 44910. Guadalajara, Jalisco.
Tel: 52 (33) 3124 4055, 1369 0243 / Fax: 52 (33) 3811 2395
www.tequilamitierra.com.mx / info@tequilamitierra.com.mx

El municipio de Amatitán, en Jalisco, es reconocido desde el siglo XIX por ser cuna de algunos de los mejores tequilas. Por eso, su cielo intensamente azul y su tierra agreste —llena de barrancas y valles—, también azul de tanto agave, ocupan un lugar especial en la conciencia afectiva de sus habitantes. Este apego al terruño, a su geografía y su tradición, es lo que inspiró, en 1998, la creación del Tequila Mi Tierra. Su nombre, además, alude al dicho popular: "para que sea un buen tequila, tiene que ser de Mi Tierra".

Tequila Mi Tierra Añejo, de gran brillantez y armonioso cuerpo, de color ámbar intenso y delicado añejamiento, da cuenta de una tradición que perdura, lo mismo que su exquisita botella, elaborada por los artesanos del pueblo aledaño de Tlaquepaque. Tequila Mi Tierra puede disfrutarse también en Colombia, España, Estados Unidos, República Dominicana, Rusia y Suiza.

Since the nineteenth century, *the municipality of Amatitán, Jalisco, has been known as the birthplace of some of the finest tequilas ever made. As such, its intense blue sky and rural landscape full of valleys and ravines, painted blue by ripening agaves, hold a special place in its inhabitants' hearts. This love for the land, geography and tradition inspired the creation of Tequila Mi Tierra in 1998. Its name also alludes to a local saying: "To be a good tequila, it has to come from my land ('*mi tierra*')."*

Mi Tierra Añejo is a delicately aged tequila with a harmonious body and a brilliant, intensely amber color. All these qualities speak of a lasting tradition, as does the bottle manufactured by artisans in the neighboring town of Tlaquepaque. Tequila Mi Tierra is also available in the United States, the Dominican Republic, Colombia, Switzerland, Spain and Russia.

Ollitas

Tequila Orendain de Jalisco, S.A. de C.V.
Prolongación Av. Vallarta 6230, colonia Jocotán,
45017. Zapopan, Jalisco. Tel: 52 (33) 3777 1818 / Fax: 52 (33) 3777 1810
www.casaorendain.com / contacto@casaorendain.com

El nombre de Don Eduardo Orendain González se encuentra escrito en la memoria de la industria tequilera desde principios del siglo XX. Proveniente de un linaje tradicionalmente asociado con la producción de este licor, Don Eduardo Orendain González fue fundador de la destilería que hoy día lleva el nombre de La Mexicana. Dedicó su vida a este destilado con un ánimo emprendedor, valeroso y vanguardista, que desembocó en la creación de Ollitas, un licor que celebra la devoción de este hombre por la tradición y el trabajo. Y que sólo puede ser respaldado por la experiencia de Casa Orendain, una empresa 100% mexicana y orgullosamente jalisciense.

The name *Eduardo Orendain González has figured in the annals of the tequila industry since the early twentieth century. The descendent of a long line of tequila producers, Eduardo Orendain González founded the distillery that today goes by the name of La Mexicana. He devoted his life to this distillate, displaying an entrepreneurial, courageous and forward-looking spirit that led to the creation of Ollitas. This tequila celebrates his loyalty to tradition and hard work, and is founded on the experience of Casa Orendain, a wholly Mexican-owned business proud to be from the state of Jalisco.*

PRIUS
MORI
QUAM
TRADI
TEQUILA
OLLITAS
100% de AGAVE
REPOSADO
HECHO EN MEXICO
ELABORACION CONTROLADA

Orendain
TEQUILA
Orendain M.R.
OLLITAS
100% de AGAVE
REPOSADO
UN PRODUCTO DE CASA ORENDAIN FUNDADA EN 1926
HECHO EN MEXICO
0034188
ELABORACION CONTROLADA
TEQUILA ORENDAIN DE JALISCO S.A. DE C.V.
ELABORADO Y ENVASADO BAJO LA VIGILANCIA DEL GOBIERNO MEXICANO

Oro Azul

Agabe Tequilana Productores y Comercializadores, S.A. de C.V.
Rincón de los Ahuehuetes 123, colonia Rinconada del Sol, 45055. Zapopan, Jalisco.
Tel: 52 (33) 3124 3506, 3124 3507 y 01800 672 6227 / Fax: 52 (33) 3587 2228
www.agabetequilana.com / ventas@agabetequilana.com

La región de los Altos de Jalisco, de suelos rojos y paisajes áridos, es uno de los puntos más importantes en la geografía del agave. Y es también uno de los escenarios que asociamos más frecuentemente con nuestra figura nacional: el charro, forjado en el trajín del ganado y en el sabor del tequila. En la población de Jesús María, la comarca más elevada de esta zona, se encuentran los plantíos con los que se produce Oro Azul, una bebida creada por un linaje de cinco generaciones dedicadas a la destilación.

La distinguida calidad de este licor, de sabor intenso con finas notas de madera y consistencia amable al paladar, ha sido reconocida por la Academia Mexicana del Tequila y por el Chicago Beverage Institute. Puede disfrutarse también en Chile, Estados Unidos, Alemania, Rusia y China.

With its stark landscape *and red earth, Los Altos de Jalisco is one of the most important regions in the geography of the agave plant. It is also the setting that we generally associate with the figure of the* charro, *the Mexican cowboy, the roots of whose image lie in the herding of livestock and the flavor of tequila. At the most elevated point in the area, the town of Jesús María is home to the plantations of agave used in Oro Azul, a liquor created by five generations of a family devoted to tequila production.*

The quality and distinction of this beverage—whose intense flavor with a woody note leaves a pleasant sensation on the palate—have been recognized by the Mexican Academy of Tequila and the Chicago Beverage Institute. Oro Azul is also available in Chile, the United States, Germany, Russia and China.

Penacho Azteca

Tequilera El Triángulo, S.A. de C.V.
Calzada Madero y Carranza 418, colonia Centro, 49000,
Ciudad Guzmán, Jalisco. Tel: 52 (341) 413 5508 / Fax: 52 (341) 413 5518
www.tequileraeltriangulo.com / cecilia.corona@tequileraeltriangulo.com

El sur de Jalisco, con sus agrestes serranías, ofrece al viajero uno de los más dramáticos escenarios del estado. Ahí se encuentra el municipio de Sayula, paraje de riquezas naturales y tierra fértil para el cultivo del agave. La destilería El Triángulo fue fundada por la familia Corona Orozco en esta cálida región. Ahí se produce, desde 2004, el Tequila Penacho Azteca, cuyo nombre recuerda al penacho del emperador Moctezuma, y celebra, así, una de las más preciadas joyas de nuestro pasado mesoamericano.

Este fino licor debe su cuerpo generoso y sus tonos de frutas y especias a los cuidados esmerados que la familia Corona Orozco prodiga a su proceso de elaboración. Y es que Penacho Azteca es destilado en una alquimia ritual que satisface a los más exigentes paladares.

With its rugged, *mountainous terrain, southern Jalisco offers travelers some of the most dramatic vistas in the state. Here, in the municipality of Sayula, rich in natural resources and boasting the fertile soil needed to cultivate agave, the El Triángulo distillery was founded by the Corona Orozco family. Since 2004 it has produced Penacho Azteca tequila, whose name alludes to the headdress of the Emperor Moctezuma, thus celebrating one of the most precious jewels from Mexico's Mesoamerican past.*

This fine liquor owes its generous body and fruity and spicy notes to the painstaking care that the Corona Orozco family puts into its elaboration. Penacho Azteca is distilled with a ritual alchemy that will satisfy the most demanding of palates.

Pueblo Viejo

Reposado

Tequila San Matías de Jalisco, S.A. de C.V.
Calderón de la Barca 177, colonia Arcos Sur, 44100. Guadalajara, Jalisco.
Tel: 52 (33) 3001 0800 / Fax: 52 (33) 3001 0800, ext. 103 y 120
www.sanmatias.com / info@sanmatias.com

Pueblo Viejo Reposado es un tequila 100% agave que surge del sentimiento de pertenencia a una tierra que se enorgullece de su gente y de sus tradiciones.

Este destilado, de cuerpo ligero, aroma exquisito y sabor con finas notas herbales, adquiere sus características inigualables durante los nueve meses que reposa, alejado de la luz, en barricas de roble blanco.

Además de este excelente reposado, la familia Pueblo Viejo se integra de dos tequilas más, también 100% puros de agave: un tequila blanco y un añejo que se caracteriza por su aroma único y su sabor con notas a madera. Para conmemorar los 120 años de Casa San Matías, en el 2006 se creó una edición especial contenida en una hermosa licorera: Orgullo Pueblo Viejo, un añejo con dos años de espera. Pueblo Viejo tiene más de 15 años en el gusto del consumidor tapatío, tiempo en el que ha demostrado que, en cualquiera de sus presentaciones, *la madurez sabe mejor*.

Pueblo Viejo Reposado *is a 100% agave tequila that is the product of a sense of belonging and pride in the land, its people, and their traditions.*

This distillate has a light body, exquisite bouquet and a flavor with fine herbal notes. These qualities emerge after nine months' aging in white oak barrels that protect it from the light.

Besides this excellent reposado tequila, Pueblo Viejo also offers two other 100% pure agave tequilas: a blanco and an añejo characterized by its distinctive bouquet with woody notes. To commemorate its 120-year anniversary in 2006, Casa San Matías released a special edition bottled in a beautiful decanter: Orgullo Pueblo Viejo, an añejo tequila that is aged for two years. Pueblo Viejo has been available to consumers in Jalisco for more than fifteen years, and in that time it has demonstrated that whatever style of tequila you prefer, maturity is a clear mark of quality.

Purasangre

Tequileña, S.A. de C.V.
Distribuidor: Casa Xalixco, S.A. de C.V.
Venezuela 425, colonia Americana, 44600. Guadalajara, Jalisco.
Tel: 52 (33) 3826 8070 / Fax: 52 (33) 3827 0249 www.casaxalixco.com.mx

Como un buen caballo se distingue por su pureza y raza, Tequila Purasangre se reconoce por su clase. Destilado de los más selectos agaves de la región alteña, preserva en su sabor la sutileza y tradición de la tierra de Jalisco y su ecosistema.

Robusto y equilibrado, es una experiencia para conocedores y nos remonta a lo más profundo de nuestras tradiciones. Ya sea como blanco, reposado que aguarda diez meses para adquirir su fino sabor, añejo que permanece durante dos años en barricas seleccionadas, o extra añejo que adquiere su carácter en los cinco años de espera, ha recibido magníficos reconocimientos en catas realizadas en el extranjero y en la Academia Mexicana del Tequila. Éstos acreditan la excelencia de su elaboración, finura y calidad.

Purasangre es una marca que, además de que se vende en México, se exporta con orgullo a Estados Unidos, Europa, Centro y Sudamérica, y lleva en cada botella una muestra de autenticidad del agave azul mexicano.

In the same way *that a horse is distinguished by its pure blood and pedigree, Tequila Purasangre is known for its class. Distilled from select agaves in the Jalisco highlands, its flavor retains the subtlety and tradition of Jalisco's soil and ecosystem.*

Robust and balanced, Purasangre is an experience for connoisseurs that takes us back to our roots and our customs. Available as a blanco, a reposado whose refined flavor derives from ten-months' aging, an añejo that remains in select barrels for two years, and an extra-añejo whose personality derives from its five-year aging period, Purasangre has been highly praised at international tastings and by the Mexican Academy of Tequila, attesting to its excellence, refinement and quality.

Purasangre is sold in Mexico and also exported to the United States, Central and South America and Europe. Each bottle contains the flavor of genuine Mexican blue agave.

Rancho Nuevo

Embotelladora San Lorenzo, S.A. de C.V.
Jacarandas 51-1, colonia Jardines de Tepa, 47600. Tepatitlán de Morelos, Jalisco.
Tel. / Fax: 52 (378) 782 7550, 782 7560 y 782 7570
flordejalisco@gmail.com

Desde su origen, la charrería y el tequila han estado estrechamente unidos. Para hacer un homenaje a esta relación, Embotelladora San Lorenzo creó en 2006 el tequila Rancho Nuevo.

El nombre de este tequila se retoma del grupo charro que enorgullece al estado de Jalisco con sus presentaciones en toda la República mexicana. A diferencia de otros tequilas, Rancho Nuevo es resultado de modernos procesos de producción en los cuales se abandonan los antiguos alambiques de cobre para utilizar los de acero inoxidable, lo que garantiza una inmejorable calidad.

Este tequila, creado en Tepatitlán de Morelos, Jalisco, actualmente se puede disfrutar como reposado, pero en poco tiempo, el sabor de Rancho Nuevo ofrecerá el carácter que identifica al añejo.

Tequila and charrería *have been closely linked from the outset. To pay tribute to this relationship, Embotelladora San Lorenzo created Tequila Rancho Nuevo in 2006.*

The name of this tequila derives from a group of charros, or Mexican cowboys, that is the pride of the State of Jalisco and has presentations throughout Mexico. Unlike other tequilas, Rancho Nuevo is elaborated with modern production processes, guaranteeing its superior quality by replacing traditional copper alembics with stainless steel ones.

This tequila created in Tepatitlán de Morelos, Jalisco, is currently sold only as a reposado, but Rancho Nuevo's flavor and character will soon be available as an añejo as well.

Raza Azteca

Vinos y Licores Azteca, S.A. de C.V.
Rinconada del Geranio 3544-1A, colonia Rinconada
Santa Rita, 45120. Zapopan, Jalisco. Tel: 52 (33) 1057 6440
Fax: 52 (33) 3817 5616 www.vinosylicoresazteca.com

Tequila Raza Azteca es un destilado símbolo de nuestra cultura. Para que este tequila adquiera su sabor dominante y cuerpo generoso, es sometido a un cuidadoso proceso de producción. Esta fina bebida se puede encontrar en su versión de blanco o reposado, y en cualquiera de los casos, muestra que la raza es la característica principal de un buen tequila.

La botella de vidrio soplado por artesanos mexicanos que ostenta orgullosamente Raza Azteca fue diseñada por el escultor Ricardo Barajas. Su tapón de *pewter* y su etiqueta hecha en repujado y pintada a mano demuestran la fineza y el cuidado que las manos mexicanas imprimen a lo que realizan. El sabor de un buen tequila dice más que mil palabras, y Raza Azteca lleva su sabor a Estados Unidos, Canadá y Europa. Como una muestra más de su clase, este inigualable tequila cuenta con el certificado de calidad Kosher.

Tequila Raza Azteca *is an exceptional distillate and a symbol of our culture. In order for it to attain its dominant flavor and generous body, it is subjected to a careful production process. This fine tequila is available as a blanco or a reposado, and in both cases it demonstrates that pedigree is the key characteristic of a good tequila.*

Raza Azteca proudly boasts a blown-glass bottle made by Mexican artisans and designed by the sculptor Ricardo Barajas. Its pewter cap and hand-painted répoussé metal label are examples of the care and refinement that Mexican hands impress on everything they make. The flavor of a good tequila says far more than a thousand words. Raza Azteca's flavor may be enjoyed in the United States, Canada and Europe. As a mark of its class and refinement, this tequila has been certified as a kosher product.

Reserva
DE LA
FAMILIA

Reserva de la Familia

Casa Cuervo, S.A. de C.V.
Río Churubusco 213, colonia Granjas México, 08400, México, D.F.
Tel: 52 (55) 5803 2400 / Fax: 52 (55) 5803 2408
www.cuervo.com

Reserva de la Familia nació con el único objetivo de conmemorar los 200 años de la casa tequilera más antigua de México, Jose Cuervo. Es un tequila muy suave y refinado que conserva la tradición familiar que se ha legado de generación en generación.

Su proceso de elaboración es supervisado para continuar la tradición de los primeros maestros tequileros que lo elaboraron. Y su añejamiento de tres años en barricas nuevas lo hace acreedor a la aprobación de quien lo degusta.

Cada botella es numerada, lacrada, personalizada y fechada a mano, y se guarda en un estuche digno de ella: una caja coleccionable de madera, decorada por un artista mexicano. La destreza de los maestros tequileros creadores de esta joya ha sido premiada en múltiples ocasiones, entre las que destaca el Premio Diosa Mayahuel 2006, otorgado por la Academia Mexicana del Tequila.

***Reserva de la Familia** was created with the sole objective of commemorating the 200th anniversary of the oldest tequila factory in Mexico: Jose Cuervo. This is a smooth, refined tequila which preserves the family tradition that has been passed down from generation to generation.*

Its production process is closely supervised to ensure that it continues the tradition of the tequila masters who first made it. After aging for three years in new barrels, it will meet the standards even of the most demanding consumers. Each bottle is numbered, sealed, personalized and dated by hand, then packaged in a collectible wooden box designed by a Mexican artist. The vast skills of the tequila masters who created this gem have garnered them several awards, including the Mayahuel Goddess Prize, from the Mexican Academy of Tequila.

Reserva de los González

Tequila Casa de los González, S.A. de C.V.
Distribuidor: Vinos América, S.A de C.V.
Av. de la Paz 2190, colonia Obrera Centro, Atotonilco el Alto, Jalisco.
Tel: 52 (33) 3344 8045 y 3344 8046 / Fax: 52 (33) 3343 4360 www.tcdg.com.mx

La mejor forma de disfrutar un buen tequila es en familia. Francisco y Eduardo González García han creado Reserva de los González para satisfacer los más exquisitos paladares, engrandeciendo una vez más esta tradición.

Tequila Reserva de los González, 100% de agave azul, guarda el sabor de los más selectos agaves de Atotonilco el Alto. Su tiempo de reposo es mucho mayor al estipulado por la norma, con lo que se obtiene una bebida de cuerpo generoso y delicioso sabor que muestra esta paciente espera. El diseño de su botella es elegante y con carácter; de forma sutil y estética integra en sus costados la más exquisita estilización del icono representativo del tequila: el agave azul.

Actualmente puede encontrarlo en presentaciones de blanco o reposado y próximamente como añejo. Sin duda, Reserva de los González es un tequila que rescata lo más fino del agave.

The best way to enjoy *a good tequila is with one's family. Francisco and Eduardo González García created Reserva de los González to satisfy the most demanding palates, thus helping to keep this tradition alive.*

Tequila Reserva de los González is made from 100% blue agave, infusing it with the flavor of the finest agave plants from Atotonilco el Alto. It is aged for a longer period than that stipulated by law, resulting in a generous body and delicious flavor that are well worth the wait. The sides of its elegant bottle subtly and aesthetically incorporate an exquisitely stylized representation of the quintessential symbol of tequila: the blue agave.

It is currently sold as a blanco and a reposado, and the añejo will be available soon. Clearly, Reserva de los González is a tequila that combines all the finest qualities of the agave.

eserva de los
González
Agave Azul

Reserva del Señor

Tequilas del Señor, S.A. de C.V.
Río Tuito 1193, colonia Atlas, 44870. Guadalajara, Jalisco.
Tel: 52 (33) 5000 5204 / Fax: 52 (33) 5000 5229
www.tequilasdelsenor.com.mx / ana.moreno@tqds.com.mx

Tequila Reserva del Señor es una bebida de elaboración artesanal que muestra el sabor de la tierra brava de los Altos de Jalisco. Debido a que permanece en barricas de roble blanco más tiempo del señalado por la norma, en sus variedades de blanco, reposado o añejo se distinguen sutiles mezclas de sabores que lo hacen una bebida diferente y, sin lugar a dudas, muy atractiva. Su botella tiene la forma de un poliedro y muestra que Reserva del Señor es un tequila con personalidad. Hay bebidas que están hechas para compartir, y Reserva del Señor es una de ellas.

Este destilado se exporta a América, Europa, Asia y Oceanía, ha sido premiado con medallas de oro y plata en el San Francisco World Spirits Competition y en el Beverage Testing Institute.

Tequila Reserva del Señor *is a craft-produced liquor that contains all the flavor of the rough country in Los Altos de Jalisco. After remaining in white oak casks for a period longer than that set out by regulations, its blanco, reposado and añejo varieties take on subtle blends of flavors that make it a unique and enticing beverage. Its bottle has the shape of a polyhedron, making it clear that that Reserva del Señor is a tequila with personality. Some drinks are made to be shared, and Reserva del Señor is one of them.*

This distillate is exported to countries in America, Europe, Asia and Oceania, and has won silver and gold medals at the San Francisco World Spirits Competition and from the Beverage Testing Institute.

Rey Sol

En 1998, después de catorce años de trabajo, se lanza al mercado Rey Sol, uno de los extra añejos más finos que se han creado.

De cuerpo sedoso, es una bebida sublime producida solamente con los mejores agaves. Rey Sol posee un aroma exquisito con notas de madera, caramelo y vainilla, y gracias a los seis años de añejamiento, es uno de los mejores tequilas del mundo.

Rey Sol es envasado en una hermosa licorera diseñada por el renombrado escultor mexicano Sergio Bustamante exclusivamente para Casa San Matías. Sin duda, es el producto más distinguido de la familia de Casa San Matías y una de las bebidas más finas en todo el mundo, por lo que es simplemente *el mejor obsequio*.

***Rey Sol** was launched in 1998, following fourteen years of hard work which have made it one of the finest extra-añejos ever created.*

With a silky body, this sublime beverage is made from only the finest agaves. Rey Sol's bouquet features wood, caramel and vanilla notes. After aging for six years, it can be considered one of the finest tequilas in the world.

It is bottled in a beautiful decanter designed by renowned Mexican sculptor Sergio Bustamante exclusively for Casa San Matías. Clearly, it is the most distinguished product in the San Matías family, and one of the finest beverages in the world, making it the ideal gift.

Tequila San Matías de Jalisco, S.A. de C.V.
Calderón de la Barca 177, colonia Arcos Sur, 44100.
Guadalajara, Jalisco. Tel: 52 (33) 3001 0800 / Fax: 52 (33) 3001 0800, ext. 103 y 120.
www.sanmatias.com / info@sanmatias.com

San Matías Gran Reserva

Tequila San Matías de Jalisco, S.A. de C.V.
Calderón de la Barca 177, colonia Arcos Sur, 44100. Guadalajara, Jalisco.
Tel: 52 (33) 3001 0800 / Fax: 52 (33) 3001 0800, ext. 103 y 120
www.sanmatias.com / info@sanmatias.com

San Matías Gran Reserva forma parte de la línea exclusiva de Casa San Matías. Creado hace más de quince años con agaves cuidadosamente seleccionados, es un tequila extra añejo que debe sus bondades a los tres años que reposa en barricas de roble blanco.

De cuerpo generoso, aroma exquisito y sabor con notas de madera y vainilla, San Matías Gran Reserva es una bebida que por su consistencia y profundo sabor está hecha para los paladares más exigentes.

Su botella de color negro, exclusiva de Casa San Matías, refleja la elegancia de este fino tequila. Las características de este destilado lo hacen ser *un extra añejo fuera de serie*.

San Matías Gran Reserva *forms part of the exclusive line of tequilas produced by Casa San Matías. Created more than fifteen years ago from carefully selected agaves, this extra-añejo acquires its unique qualities during the three years it ages in white oak barrels.*

Featuring a generous body, exquisite bouquet and a flavor with wood and vanilla notes, San Matías Gran Reserva's complex flavor and consistency will please the most demanding palates.

The black bottle is unique to Casa San Matías, and is a reflection of this tequila's elegance and refinement. Its characteristics make this extra-añejo a one-of-a-kind tequila.

San Matías Legado

100%

Tequila San Matías Legado es heredero de los más de 120 años de experiencia de Casa San Matías en la elaboración de tequilas. Esta bebida fue creada en el 2006, y su nombre hace honor a los esfuerzos de calidad que la casa ha mantenido desde 1886.

San Matías Legado es un tequila reposado 100% agave que por su sabor es ideal para ser mezclado con refresco o agua mineral. Este destilado, que posee un color brillante, sabor suave y ligero con notas de carácter afrutado, es un tequila ideal para combinarse, convirtiéndose para las nuevas generaciones de consumidores en *la mezcla perfecta*.

***San Matías Legado** is heir to Casa San Matías' more than 120 years of experience in making tequila. Created in 2006, this brand's name pays tribute to the standards of quality that this factory has kept up since 1886.*

San Matías Legado is a 100% pure agave reposado tequila which mixes perfectly with soft drinks or mineral water. Its sparkling appearance and light, fruity bouquet make it ideal for a new generation of consumers. This distillate, which accentuates the qualities of good agave, is the latest addition to the San Matías family, heir to Jalisco's tradition of tequila.

Tequila San Matías de Jalisco, S.A. de C.V.
Calderón de la Barca 177, colonia Arcos Sur, 44100. Guadalajara, Jalisco.
Tel: 52 (33) 3001 0800 / Fax: 52 (33) 3001 0800, ext. 103 y 120
www.sanmatias.com / info@sanmatias.com

Sauza Blanco

Tequila Sauza, S.A. de C.V.
Distribuidor: Bacardi y Compañía, S.A. de C.V.
Av. Vallarta 6503 L-49, colonia Ciudad Granja, 45010.
Zapopan, Jalisco. Tel: 52 (33) 3679 0600 y 01800 502 7115

El tequila es un arte antiguo. De hecho, muchos de sus mejores licores son producto de alquimias remotas. Sauza Blanco es uno de estos casos. Creado en 1873 por Cenobio Sauza, fue el primer destilado producido por tan tradicional casa tequilera. De sabor claro y contundente, este licor ha sido compañero del hidalgo campirano en sus faenas por las tierras agrestes de Jalisco y de los charros en sus travesías, de las que dio cuenta el cine de la Época de Oro. Hoy día, acompaña a todo aquel que quiera emprender un implacable viaje por los sabores más puros de México.

Su brillante transparencia y su carácter recio y viril pueden disfrutarse sólo en el extranjero, pues Sauza Blanco es una de esas bebidas que han sabido trascender fronteras.

Tequila is an ancient art form. *Many of its finest brands are the product of age-old alchemical processes. Sauza Blanco is one of these. Created in 1873 by Cenobio Sauza, it was the first tequila created by this world-famous distillery. With a clear, strong flavor, this brand has been the faithful companion of country gentlemen as they inspected their holdings in rural Jalisco, and of the charros on their travels as they were depicted in so many films from the Golden Age of Mexican cinema. Today, it accompanies anyone who wants to embark on a voyage through the purest flavors of Mexico.*

Sauza Blanco's sparkling transparency and bold, robust nature has crossed borders and is only available outside Mexico.

Sauza Conmemorativo

En 1963, Don Francisco Javier Sauza creó uno de los tequilas que más éxito tienen en la actualidad. Su nombre es Sauza Conmemorativo, y fue pensado como un licor distinguido para celebrar ocasiones especiales. Su botella color ámbar cuida celosamente su sabor suave, fino y agradable, conseguido a través de un riguroso añejamiento en barricas de roble blanco durante dos años. Y su aroma se deja sentir como una cálida caricia en el paladar, que se aprecia al tomarlo solo, o en toda clase de cocteles.

In 1963, *Francisco Javier Sauza created a tequila which is currently one of the most popular that this company produces. Its name is Sauza Conmemorativo and it was envisioned as a distinguished liquor ideal for celebrating special occasions. Its amber bottle protects its fine, smooth and pleasing flavor, and its bouquet which is like a warm caress on the palate. Both these characteristics are the result of careful aging in white oak barrels for two years. It may be savored neat or in any number of cocktails.*

Tequila Sauza, S.A. de C.V.
Distribuidor: Bacardi y Compañía, S.A. de C.V.
Av. Vallarta 6503 L-49, colonia Ciudad Granja, 45010.
Zapopan, Jalisco. Tel: 52 (33) 3679 0600 y 01800 502 7115

Sauza Extra / Gold

Tequila Sauza, S.A. de C.V.
Distribuidor: Bacardi y Compañía, S.A. de C.V.
Av. Vallarta 6503 L-49, colonia Ciudad Granja, 45010.
Zapopan, Jalisco. Tel: 52 (33) 3679 0600 y 01800 502 7115

Una lectura del tequila puede hacerse a contraluz, mirando la coloración de este fino licor y el cuerpo con el que se aferra a las paredes del caballito. Otra puede hacerse según su aroma: un buen tequila permite evocar los campos de agave del agreste paisaje mexicano. Pero la prueba más decisiva es su sabor: cada trago debe traer consigo una punzada deliciosa al paladar.

Sauza Extra / Gold, creada en 1926 por Don Eladio Sauza, es una de las marcas que superan éstas y otras pruebas impuestas a los tequilas de tradición. Su refinado sabor, matizado por un paciente reposo en barricas de roble blanco, es hoy día uno de los más sofisticados embajadores de nuestro país, pues este destilado se encuentra a la venta sólo en Estados Unidos.

A tequila may be analyzed *by holding the glass up to the light, taking note of the liquor's fine color, body and cling to the glass. Another level of analysis is its bouquet: a good tequila should evoke the agave fields of the rugged Mexican landscape. But the most decisive element is its flavor: every sip should bring a delicious pungency to the palate.*

Sauza Extra Gold was created in 1926 by Eladio Sauza, and it continues to be a brand that passes every test of a good traditional tequila with flying colors. Its refined flavor, nurtured by its patient aging in white oak barrels, is today one of Mexico's most sophisticated ambassadors of taste, given that it is now only available in the United States.

Sauza Hacienda

Tequila Sauza, S.A. de C.V.
Distribuidor: Bacardi y Compañía, S.A. de C.V.
Av. Vallarta 6503 L-49, colonia Ciudad Granja, 45010.
Zapopan, Jalisco. Tel: 52 (33) 3679 0600 y 01800 502 7115

Don Cenobio Sauza fundó, en 1893, Tequila Sauza sobre los antiguos terrenos ocupados, desde finales del siglo XVIII, por la taberna de La Cruz. Con los años, sus instalaciones fueron creciendo, pues la familia Sauza compró las destilerías aledañas para incorporarlas a esta fábrica, que hoy día sigue produciendo los más refinados tequilas.

Como un homenaje a este lugar emblemático, en el año 2000, Casa Sauza creó Hacienda, un reposado amarillo brillante cuyo sabor tiene tintes de madera. Está dirigido a los paladares jóvenes, aunque no por ello menos exigentes, que están siempre a la vanguardia en sus preferencias de consumo.

Don Cenobio Sauza *founded Tequila Sauza in 1893, on the same land that had been occupied since the late eighteenth century by the Taberna de La Cruz. The company grew over the years as the Sauza family purchased neighboring distilleries and incorporated them into their own factory, which today continues to produce some of the finest tequilas in Mexico.*

In 2000, to render homage to this symbolic site, Casa Sauza created Hacienda, a bright yellow reposado tequila with woody notes. It is targeted at younger drinkers, whose palates are no less demanding and who are always on the cutting edge of consumer trends.

Sauza Hornitos

La cocción de las piñas en el horno es uno de los momentos más importantes en la elaboración de un buen tequila, pues es ahí donde los azúcares del agave se concentran. Inicialmente, estos hornos eran de pozo, y eran alimentados con leña. A partir del siglo XIX, se introdujo el cocimiento a vapor en hornos de mampostería y, recientemente, se han implantado nuevas técnicas para llevar a cabo este proceso.

Para celebrar esta parte fundamental de la alquimia del tequila, Casa Sauza creó Hornitos, de apariencia brillante y con su característico color paja diferente al del resto de los tequilas. Este reposado, 100% de agave azul, deja ver la sabiduría con la que uno de los linajes con más tradición en el mundo del tequila se ha adaptado a la modernidad.

One of the most important *stages in the creation of a good tequila is the baking of the agave hearts: this is when the agave sugars are concentrated. Initially, wood-fired pit ovens were used. In the nineteenth century, steam cooking in stone ovens became common, and more recently, new baking techniques have been introduced.*

To pay tribute to this fundamental moment in the alchemy of tequila, Casa Sauza created Hornitos. Its sparkling appearance and straw-colored hue distinguish it from other tequilas. This 100% blue agave reposado demonstrates the wisdom of one of the longest-standing tequila dynasties in the world as it has adapted to modern times.

Tequila Sauza, S.A. de C.V.
Distribuidor: Bacardi y Compañía, S.A. de C.V.
Av. Vallarta 6503 L-49, colonia Ciudad Granja, 45010.
Zapopan, Jalisco. Tel: 52 (33) 3679 0600 y 01800 502 7115

Sauza Tres Generaciones

100%

Tequila Sauza, S.A. de C.V.
Distribuidor: Bacardi y Compañía, S.A. de C.V.
Av. Vallarta 6503 L-49, colonia Ciudad Granja, 45010.
Zapopan, Jalisco. Tel: 52 (33) 3679 0600 y 01800 502 7115

Detrás del sabor de los más finos tequilas, se esconde una herencia centenaria. Y es que los secretos de la destilación del agave y el añejamiento de su licor se transmiten de generación en generación como parte del patrimonio familiar. Como un homenaje al linaje de los Sauza, uno de los más tradicionales del mundo del tequila, se creó Tres Generaciones, que recuerda a Don Cenobio, Don Eladio y Don Francisco Javier Sauza, pilares de esta destilería fundada en 1873.

El intenso sabor de Tres Generaciones puede disfrutarse lo mismo en un característico tequila plata, que en un dulce reposado o en un suave añejo, cuya fina calidad da cuenta del valor de este antiguo legado.

***A time-honored tradition** lies behind the flavor of the finest tequilas. The secrets of how this agave liquor is distilled and aged are passed down from generation to generation as part of the family legacy. Tres Generaciones was created to render homage to the Sauza lineage—one of the most traditional families in the world of tequila. The name refers to Cenobio, Eladio and Francisco Javier Sauza, the pillars of this distillery founded in 1873.*

The intense flavor of Tres Generaciones tequila may be enjoyed in three presentations: typical plata, sweeter tasting reposado and smooth añejo, whose high quality honors the achievements of this ancient legacy.

Sauza
TEQUILA

TRADICIÓN
DESDE 1873
TEQUILA
TRES
SILVER
GENERACIONE
100% PURO DE AGAV
PLATA
38% Alc. Vol.
HECHO EN MEXICO

Sauza
TEQUILA
TRADICIÓN
DESDE 1873
TEQUILA
TRES
AÑEJO
GENERACIONES
100% PURO DE AGAVE
AÑEJO
38% Alc. Vol.
Cont. Net. 750 ml
HECHO EN MEXICO

Selección Suprema

Casa Herradura
Comercio 172, Sector Juárez, colonia Mexicaltzingo, 44180.
Guadalajara, Jalisco. Tel: 52 (33) 3942 3900
www.herradura.com.mx

Con la vocación de producir los más finos licores de agave, Don Ambrosio Rosales fundó Tequila Herradura en 1870. Ciento veinte años después, esta prestigiosa destilería creó Selección Suprema, un extra añejo que reposa durante 49 meses en barricas de roble blanco americano y que se envasa y etiqueta manualmente.

De edición limitada, este tequila se distingue por su cuerpo espeso y cremoso, que se desliza sedosamente por el paladar. Su delicado aroma, con matices de madera, vainilla, canela y pétalos de rosa, enriquece su profundo sabor a agave cocido, que ha sido premiado con las más valoradas preseas internacionales. No por nada, Selección Suprema es el máximo orgullo de Casa Herradura.

Ambrosio Rosales, *dedicated to producing the finest agave-based spirits, founded Tequila Herradura in 1870. 120 years later, this renowned distillery created Selección Suprema, an extra-añejo tequila aged for forty-nine months in American white oak barrels and bottled and labeled by hand.*

Made in limited quantities, this tequila is distinguished by its thick, creamy body that glides across one's palate like silk. Its delicate aroma, with hints of wood, vanilla, cinnamon and rose petals, enriches its complex cooked agave flavor, which has received awards at renowned international competitions. It is not in vain that Selección Suprema is Casa Herradura's pride and joy.

Siete Leguas

"Siete Leguas, el caballo que Villa más estimaba, cuando oía silbar los trenes, se paraba y relinchaba", reza un popular corrido que elogiaba la fuerza y la bravura de este corcel. Para hacer honor al caballo del Centauro del Norte, Ignacio González Vargas fundó en 1952, Tequila Siete Leguas.

Siete Leguas está elaborado con procesos tradicionales, como la molienda en tahona, que le confiere un extraordinario sabor y una calidad inigualable. Es envasado en una botella cuyo diseño y grabado evoca al agave azul *Tequilana Weber*, orgullo de México y fruto de la sabia tierra de Jalisco, y en su etiqueta conserva la efigie del caballo.

Este licor es producido en dos fábricas de Atotonilco el Alto: La Vencedora, la primera destilería de la comarca, fundada en 1942, y El Centenario, abierta en 1949. Actualmente se puede disfrutar como tequila blanco, reposado, añejo o extra añejo. Y sigue contando con el mejor de los premios: la preferencia de sus consumidores.

"Whenever Siete Leguas, *Pancho Villa's favorite steed, would hear a train whistle, it would rear up and whinny," states a popular Mexican ballad that praised this horse's strength and courage. In honor of the famous cavalry general's steed, Ignacio González Vargas founded Tequila Siete Leguas in 1952.*

Siete Leguas is crafted according to traditional processes like stone-grinding which lend it its extraordinary flavor and peerless quality. The bottle design and engraving evoke the Agave tequilana Weber, *blue variety—the pride of Mexico and fruit of an ancient land—while its label bears the likeness of the horse itself.*

This spirit is produced by two factories in Atotonilco el Alto: La Vencedora, the town's first distillery, founded in 1942, and El Centenario, which opened in 1949. It can now be enjoyed as a blanco, reposado, añejo or extra-añejo, and year after year it receives the most prestigious award of all: the preference of consumers.

Tequila Siete Leguas, S.A. de C.V.
Av. Independencia 360, colonia San Felipe, 47750.
Atotonilco el Alto, Jalisco Tel: 52 (33) 3671 4046 y 3671 2064
www.tequilasieteleguas.com.mx

Sombrero Negro

Tequilas del Señor, S.A. de C.V.
Río Tuito 1193, colonia Atlas, 44870. Guadalajara, Jalisco.
Tel: 52 (33) 5000 5204 / Fax: 52 (33) 5000 5229
www.tequilasdelsenor.com.mx / ana.moreno@tqds.com.mx

Este tequila evoca la prenda más representativa del traje de gala del charro mexicano. Hace honor a aquellos hidalgos rurales que la portaban con orgullo.

Tequila Sombrero Negro surgió en la década de 1940 en Guadalajara, Jalisco. Como blanco, es un tequila de matices plateados que tiene gran cuerpo y un sabor de agave cocido con ligeras notas ahumadas; en su presentación de tequila joven, posee matices dorados y un ligero toque de madera que lo hace una bebida elegante. En cualquiera de los casos, es ideal para disfrutarse solo o combinado.

Sombrero Negro ha sido premiado con la medalla de oro en la Feria Prodexpo en Moscú. Con gran éxito, este destilado se exporta a países de América, Europa, Asia y Oceanía.

This tequila *evokes the most emblematic garment in the Mexican charro's gala costume, and pays tribute to those rural landowners who wore it with pride.*

Tequila Sombrero Negro was created in Guadalajara, Jalisco, during the 1940s. Sombrero Negro Blanco is a silver-hued tequila with a generous body and the flavor of baked agave nuanced with slightly smoky notes. Sombrero Negro Joven has a golden color and a subtle wood flavor that adds to its sophistication. Both are ideal for serving straight or mixed.

Sombrero Negro was awarded a gold medal at the Moscow Prodexpo Fair. It has enjoyed great success throughout the Americas, Europe, Oceania and Asia.

Tenampa

La palabra tequila es sinónimo de alegría, mariachi, platillos típicos... Y, con ello, se inscribe en el mundo de la fiesta popular, un espacio en el que el mexicano deja ver lo más entrañable de sí mismo. Para celebrar este rostro festivo de nuestro país, en 2003 se creó Tenampa, cuyo legendario nombre alude al conocido bar de la plaza Garibaldi, en la ciudad de México.

Tenampa se produce en la antigua hacienda Los Camichines, en los Altos de Jalisco. Y es tan suave al paladar que puede disfrutarse derecho como tequila blanco y reposado, o bien mezclarse en los tradicionales cocteles.

The word tequila *is synonymous with good cheer, mariachi music, typical Mexican food.... As such, it is a key ingredient in the world of the fiesta, where the Mexican people put the most cherished aspects of their culture on display. To celebrate the festive face of this country, this tequila of incomparable quality was created in 2003. Its legendary name alludes to the famous Tenampa bar in Plaza Garibaldi, Mexico City.*

Tenampa Blanco and Reposado are produced on the old Hacienda Los Camichines in Los Altos, Jalisco. Their smooth flavor may be enjoyed neat or in cocktails.

Ex Hacienda Los Camichines
Reforma 100, 45430.
La Laja, Jalisco.

Tequila 1800

Blanco

Fábrica Los Camichines
Reforma 100, 45430.
La Laja, Jalisco.

La calidad de 1800 Blanco sobresale entre los tequilas de su categoría. Este destilado ofrece un delicado sabor e inigualable espíritu que lo han hecho acreedor a los mejores lugares en catas profesionales. Debido a que reposa durante dos meses en barricas de roble blanco y después se somete a un proceso especial de filtración, tiene la suavidad característica de la línea 1800.

Aunque 1800 Blanco se disfruta idealmente en caballitos *old fashion*, también se puede beber mezclado sin que se pierdan sus cualidades. El sabor balanceado de este tequila, y sus tonos frutales, florales y de especias, recuerdan que 1800 es una línea en la que se resume la experiencia en el arte de hacer tequila. Se recomienda disfrutarlo solo o en las rocas con un *twist* de limón. Sin duda, es uno de los tequilas blancos más finos que existen.

***Tequila 1800 Blanco's** exceptional quality sets it apart from other blanco tequilas. This distillate has a delicate flavor and incomparable spirit that have garnered it top marks at professional tastings. It is aged for two month in white oak barrels and then subjected to a special filtration process, giving it Tequila 1800's characteristic smoothness.*

Though 1800 Blanco should ideally be served neat or on the rocks with a twist in an old-fashioned glass, it can also be mixed in cocktails without losing any of its qualities. It features a smooth, balanced flavor with fruity, floral and spicy notes, reminding us that 1800 is a brand with years of experience in the art of tequila-making. This is clearly one of the finest blanco tequilas ever made.

Tequila 1800

Reposado

Fábrica Los Camichines
Reforma 100, 45430.
La Laja, Jalisco.

El nombre de este tequila proviene de su año de origen, cuando en la hacienda de Los Camichines, en los Altos de Jalisco, se cosecharon los primeros agaves para crear Tequila 1800.

Para que las plantas tengan el sabor de 1800, son cosechadas hasta que alcanzan una madurez de ocho a diez años. Así, no existe la menor duda de que se obtendrá una bebida de gran clase y distinción.

El sabor de este reposado, de extraordinaria suavidad, es resultado de un proceso de añejamiento de seis meses, y su delicado gusto es el preferido por los amantes de esta tradicional bebida mexicana. Al igual que el resto de destilados de esta línea, Tequila 1800 Reposado se puede encontrar en más de noventa países.

***This tequila's name refers** to the year it came into being, when the first agaves were harvested to create Tequila 1800 at the Hacienda Los Camichines in Los Altos de Jalisco.*

For the plants to acquire the proper flavor in order to make Tequila 1800, they are harvested when they are eight to ten years old. This ensures that the product will be a spirit of the highest class and distinction.

This reposado tequila's extraordinarily smooth flavor is the result of a six-month aging process, and lovers of this traditional Mexican liquor are certain to enjoy its delicate palate. Like this brand's other varieties, Tequila 1800 Reposado is available in over ninety countries.

Tequila 1800

Añejo

100%

Fábrica Los Camichines
Reforma 100, 45430.
La Laja, Jalisco.

Tequila 1800 está escrito en la historia del agave por haber sido el licor que iniciara la tradición de madurar el vino de mezcal en barricas de roble americano y francés. Y desde entonces se ha convertido en un experto del añejamiento.

Con la experiencia que le otorga toda una vida dedicada a perfeccionar el proceso de añejamiento, el maestro tequilero retoma los antiquísimos procesos para crear 1800 Añejo. Desde su esmerada elaboración hasta la cuidadosa selección de la madera de sus barricas, se busca producir un tequila de altísima calidad y un sabor inigualable. Durante los dos años en los que es guardado en barricas, este tequila adquiere un excelente cuerpo y un sabor a almendra tostada, roble y clavo, que le confieren un perfil único.

Por su calidad y carácter, siempre obtiene los primeros lugares en las catas de la Academia Mexicana del Tequila.

Tequila 1800 *has gone down in the annals of agave distillation as it initiated the tradition of aging "mezcal wine" in American or French oak casks. Since then, it has become a true expert in the aging process.*

With the experience garnered from a lifetime devoted to crafting this spirit, the tequila master employs age-old processes to create 1800 Añejo. From carefully selecting the wood for its barrels to painstakingly supervising its elaboration, every stage in the production process is oriented toward achieving a tequila of the highest quality with incomparable flavor. Over its two-year aging period, this spirit acquires an excellent body and a flavor reminiscent of toasted almonds, oak and clove, giving it its unique personality.

For its class and robustness, Tequila 1800 Añejo always receives top marks at the Mexican Academy of Tequila's professional tastings.

Tierra Azul

Tequila Selecto de Amatitán, S.A. de C.V.
Camino a la Villa de Cuerámbaro kilómetro 2, 45380.
Amatitán, Jalisco. Tel: 52 (374) 745 0690
www.tequilaselectoamatitan.com.mx / teqselectoamatitan@prodigy.net.mx

El color azul representa tranquilidad. Pero cuando hablamos de tequila, el azul es sinónimo de la pasión y entrega con que se cultiva el agave en los campos que tienen este color único. De ahí proviene el nombre de Tierra Azul, que desde hace 95 años es producido por la familia Real. Así, Don Vicente Real Pérez, Don Dionisio Real, y ahora Roberto y Fernando, han colaborado para reafirmar con esta bebida la identidad del estado de Jalisco.

Tequila Selecto de Amatitán reconoce el arduo trabajo que implica la elaboración de este fino destilado y se dedica fervorosamente a cuidar cada una de las 3 000 plantas de agave que siembra por hectárea. Además, se entrega con devoción a todo el proceso de producción. El resultado es un tequila de excelente clase que reúne el campo, la tradición, el trabajo y el vigor espiritual de quienes trabajan la tierra día a día.

The color blue *represents tranquility. But when we are speaking of tequila, it is synonymous with the passion and dedication with which agave is cultivated in fields that are known for their distinctive color. Hence the name of this brand—which translates as "blue earth"—that the Real family has been producing for ninety-five years. Vicente Real Pérez, Dionisio Real, and now Roberto and Fernando Real have thus been responsible for reaffirming the identity of the state of Jalisco with this fine beverage.*

Tequila Selecto de Amatitán is well aware of the hard work that goes into elaborating this fine liquor and painstakingly looks after each of the 3000 agaves it plants per hectare. Moreover, it meticulously supervises the entire production process. The result is an excellent tequila that evocatively blends the rural values, traditions, hard work and spiritual vitality of those who toil the land day after day.

Tres Magueyes

El profundo sabor del agave transformado en tequila ha sido uno de los emblemas culturales de México que ha atravesado fronteras. Para celebrar la virtud de esta planta se crea Tres Magueyes, un tequila 100% agave que hace honor a la sabiduría que se ha tejido alrededor del agave, y que da cuenta del compromiso de sus productores con el legado de nuestro país.

Por su refinado sabor, que sabe combinar las notas bravas del agave con algunos tonos sutiles, Tres Magueyes es la prueba de que un tequila bien hecho no es agresivo. De que pueden convivir la aridez de la tierra, la intensidad de la cantina y el delicado gusto por la tradición.

The rich flavor of agave *transformed into tequila is an emblem of Mexican culture that has transcended national boundaries. Tres Magueyes was created to celebrate the shared virtues of this plant: a 100% agave tequila which pays tribute to the vast store of knowledge that has developed around agave, and which attests to its producers' commitment to this country's legacy.*

Its superior flavor blends the piquancy of agave with other, more subtle notes. Tres Magueyes stands as proof that when tequila is properly made, it need not be aggressive, and that the aridity of the land, the intensity of cantina culture and the refined love of tradition can coexist harmoniously.

Tequila Don Julio, S.A. de C.V.
Porfirio Díaz 17, colonia El Chichimeco, 47750.
Atotonilco el Alto, Jalisco. Tel: 52 (391) 917 0830 y 917 2711
www.donjulio.com

100%

Volcán de Mi Tierra

Agrotequilera de Jalisco, S.A. de C.V.
Prolongación Medina Ascencio 567, Huaxtla, 45368. El Arenal, Jalisco.
Tel: 01800 777 1872 / Fax: 52 (33) 3651 0905
www.tequilavolcandemitierra.com

Un buen tequila se distingue por su aroma, sabor y cuerpo. Tal es el caso del Tequila Volcán de Mi Tierra, elaborado con plantas en plena madurez y mediante un proceso lento de cocimiento, fermentación y doble destilación, lo que garantiza que sólo se obtenga lo más selecto del agave azul.

De cuerpo generoso y carácter afrutado, es elaborado por Don Francisco Flores y los ingenieros Carlos García Portillo y Luis Curiel Alcaraz, profesionales con gran experiencia en esta actividad productiva tradicional de la región.

Volcán de Mi Tierra se envasa en la botella tequilera tradicional. Su nombre y marca provienen del lugar donde está establecida la fábrica en la que se produce este tequila, ya que desde ahí se aprecia el imponente volcán de Tequila o cerro del Águila, que custodia la zona del paisaje agavero de los municipios de El Arenal, Amatitán y Tequila, Jalisco.

A good tequila *is distinguished by its bouquet, flavor and body. Such is the case of Volcán de Mi Tierra, a spirit elaborated with mature blue agaves and subjected to a long process of baking, fermentation and double distillation, guaranteeing that only the agaves' finest qualities will be retained.*

With a generous body and fruity notes, this tequila was created by Francisco Flores, Luis Curiel Alcaraz and Carlos García Portillo, professionals with years of experience in the region's most traditional industry. Volcán de Mi Tierra has retained the classic tequila bottle design, and its name derives from the place where it is produced, given that from the factory, one can glimpse the imposing Tequila Volcano (Cerro del Águila) that overlooks the regions of El Arenal, Amatitán and Tequila, Jalisco.

4 Vientos

En el año 2004 surgió Tequila 4 Vientos. Esta bebida toma su nombre de una hacienda donde el viento sopla fuertemente de un lado a otro, de ahí que su marca distintiva sea una rosa de los vientos y al fondo de su etiqueta se aprecie un campo de agave.

Respaldado por las más estrictas pruebas de calidad, 4 Vientos es una bebida agradable a la vista, al olfato y al gusto. De sabor dulce y tonos dorados y cristalinos, este reposado, que se exporta a Costa Rica y en poco tiempo también a Guatemala, confirma que precio y calidad no son divergentes.

Su delicioso sabor, su botella grabada, y hasta el detalle de las frases escritas en la parte posterior de las etiquetas, recuerdan que beber tequila es uno de los grandes placeres de la vida.

Cuatro Vientos tequila *was created in 2004. This spirit takes its name ("four winds") from an hacienda where strong winds blow from all directions. This explains the compass depicted on its bottle-cap and the agave field on its label.*

Subjected to the most exacting quality control, Cuatro Vientos is a delight to the eyes, nose and palate. This reposado tequila's sweet flavor and transparent golden hue demonstrate that an affordable price and good quality are not mutually exclusive. It is currently exported to Costa Rica and will soon be available in Guatemala.

This flavorful spirit comes in a bottle with reproductions of engravings as well as phrases on its back label reminding us that drinking tequila is one of life's great pleasures.

Fábrica: Tequila Cazadores de Arandas
Bacardi y Compañía, S.A. de C.V.
Libramiento sur, kilómetro 3, 47180. Arandas, Jalisco.
Tel: 52 (348) 784 9000 / Fax: 52 (348) 784 9000 ext. 111

100 Años

Hacienda La Perseverancia
Distribuidor: Bacardi y Compañía, S.A. de C.V.
Francisco Javier Sauza Mora 80, Centro, 46400. Tequila, Jalisco.
Tel: 52 (374) 742 0243

El tequila es un arte laborioso. Desde la jima de las pencas de agave hasta el añejamiento en barricas, pasando por el cocimiento, la molienda y la destilación, la alquimia del tequila requiere esfuerzo y diligencia. Su manufactura, además, está ligada con la sabiduría y la experiencia que se transmiten de generación en generación. Por eso, el tequila siempre tiene el carácter entrañable del trabajo artesanal.

Para celebrar este vínculo, en 1997, en la hacienda La Perseverancia, se creó un reposado cuya elaboración sigue los procedimientos más tradicionales. La delicada calidez de 100 Años da cuenta del esmerado cuidado que sus productores le profesan y del profundo conocimiento que una de las destiladoras más antiguas en la historia del tequila ha recopilado con los años.

Making tequila *is painstaking work. The alchemy of tequila requires effort and diligence: the agave must be harvested, baked, ground, distilled and then aged in barrels. Its production is closely linked to the knowledge and experience that is passed down from generation to generation. For this reason, tequila will always be distinguished by its careful craftsmanship.*

To celebrate this heritage, a reposado tequila was created at the Hacienda La Perseverancia in 1997. It is made according to traditional processes, resulting in handcrafted quality that attests to the meticulous care that goes into its production and the vast knowledge of one of the oldest distilleries in the history of tequila.

1921 Tequila

Corporación Licorera 1910, S.A de C.V
Camino a la Presa 1004-7, colonia La Herradura, 37170.
León, Guanajuato. Tel: 52 (477) 773 1901 / Fax: 52 (477) 779 1030
www.tequila1921.com / contact@tequila1921.com

Durante la remodelación de la hacienda La Colorada, en el estado de Jalisco, se encontraron unas botellas de licor que permanecieron en la oscuridad por cerca de seis décadas. Para celebrar este hallazgo, Corporación Licorera 1910 creó la marca 1921, cuyo nombre conmemora el año en que terminó la Revolución mexicana.

El sabor suave y el aroma delicioso de este tequila son resultado de un dedicado proceso de producción apegado a los procesos artesanales del siglo XVIII.

Tequila 1921 es un destilado que se exhibe orgullosamente como un producto 100% agave. Ya sea blanco, reposado o reserva especial, muestra que el carácter y el refinamiento son las principales cualidades de este tequila.

During the remodeling *of the Hacienda de la Colorada in the state of Jalisco, some liquor bottles that had remained in storage in the dark for approximately sixty years were discovered. To celebrate this finding, the Corporación Licorera 1910 created the 1921 brand, whose name commemorates the year the Mexican Revolution ended.*

This spirit's smooth flavor and delicious aroma are the result of a scrupulous production process that follows traditional eighteenth-century distillation techniques.

Tequila 1921 is a proudly crafted liquor made from 100% pure agave. Its character and refinement are clearly noticeable in all of its three varieties—blanco, reposado and reserva especial.

Elíxires
de agave

Agave
Elixirs

Don Maximiliano

Tequilas de La Doña, S.A. de C.V.
Tlapexco 25, colonia Palo Alto, Cuajimalpa, 05110.
México, D.F. Tel: 52 (55) 5259 5432 / Fax: 52 (55) 5570 7119
www.tequilasdeladona.com / info@tequilasdeladona.com

Como si se le ofreciera al mismo emperador, los productores de Don Maximiliano, inspirados en un viaje imaginario al siglo XIX, crearon en 1990 este elíxir de agave.

Don Alberto Becherano creó este producto único, con el propósito de compartirlo con un selecto grupo de amigos. Este espíritu se ha mantenido hasta el día de hoy, ya que Don Maximiliano se distribuye sólo en un exclusivo club de socios.

Describir con unas cuantas palabras el Elíxir de agave Don Maximiliano es simplemente imposible. Hay que probarlo para entender por qué este licor puede ser considerado como la bebida de agave azul más exclusiva del mundo. De reserva limitada, nunca superior a los 2 000 litros, no existe en el mercado un producto con el que se le pueda comparar.

Inspired by an imaginary voyage *to the nineteenth century, the makers of Don Maximiliano created this agave elixir in 1990 as an offering to Emperor Maximiliano himself.*

Alberto Becherano created this unique product in order to share it with a select group of friends. The spirit has survived to the present day as Don Maximiliano, and is only distributed among an exclusive members' club.

No words could describe this agave elixir: it must be tasted in order to experience the most exclusive blue agave beverage in the world. Produced in limited quantities—never more than 2000 liters at a time—no other product on the market is comparable to it.

El Capricho

El Capricho, como su nombre lo dice, sólo podría haber sido concebido como resultado de un verdadero capricho de sus creadores, que hace más de diez años decidieron forjar su propio camino y ofrecer, en Jalisco, el primer elíxir de agave comercial, como una alternativa en los productos 100% de agave.

A partir de un paciente añejamiento y un maridaje armónico, El Capricho destaca por un sabor amable de sobria personalidad en sus tres variantes. El Capricho maduro es la expresión más natural de un aperitivo, es ideal solo y en cocteles. Como reposado, tiene un suave sabor aterciopelado, y es el mejor complemento de una deliciosa comida. Y, finalmente, como añejo es la elección perfecta de los conocedores que gustan de paladear un digestivo inigualable.

***El Capricho could** only have been conceived as a true* capricho *or whim of its creative producers. Over ten years ago, Tequilas de la Doña decided to break new ground and offer the first commercial agave elixir in Jalisco, as an alternative to other* 100% *agave products.*

After patient aging and careful blending, El Capricho stands out for its exuberant flavor and avant-garde personality in all of its three varieties. El Capricho Maduro is the most natural expression of an aperitif, ideal neat or in cocktails. The reposado variety has a smooth, velvety flavor and is the perfect complement to a hearty meal. Finally, the añejo is a flawless option for connoisseurs who enjoy savoring an inimitable digestive.

Tequilas de La Doña, S.A. de C.V.
Tlapexco 25, colonia Palo Alto, Cuajimalpa, 05110.
México, D.F. Tel: 52 (55) 5259 5432 / Fax: 52 (55) 5570 7119
www.tequilasdeladona.com / info@tequilasdeladona.com

El Duende

Tequilas de La Doña, S.A. de C.V.
Tlapexco 25, colonia Palo Alto, Cuajimalpa, 05110.
México, D.F. Tel: 52 (55) 5259 5432 / Fax: 52 (55) 5570 7119
www.tequilasdeladona.com / info@tequilasdeladona.com

Los duendes son seres maravillosos que nos seducen con su magia y evocan el mundo de los sueños. Inspirada en estos míticos personajes, Tequilas de La Doña creó El Duende, un sofisticado elíxir de agave que encanta a los más exigentes conocedores gracias a su magnífico sabor y espíritu juvenil.

El Duende Reposado es un espléndido aperitivo, y El Duende Añejo es un digestivo único, cuyo exquisito sabor y refinado *bouquet* son un verdadero placer para el paladar.

En el vanguardista diseño de su botella, Tequila El Duende muestra un mundo en el que duendes y otras criaturas fantásticas invitan a disfrutar de una auténtica experiencia sensorial.

Duendes, *or elves, are fantastic beings that seduce us with their magic and evoke the world of dreams. Inspired by these mythical creatures, Tequilas de La Doña created El Duende, a sophisticated agave elixir that charms the most demanding connoisseurs with its magnificent flavor and youthful spirit.*

El Duende Reposado makes a splendid aperitif, while El Duende Añejo is a unique digestive, whose exquisite flavor and refined bouquet are truly pleasurable to the palate.

With its unusual bottle design, Tequila El Duende shows us a world where elves and other fantastic creatures invite us to enjoy a genuine sensory experience.

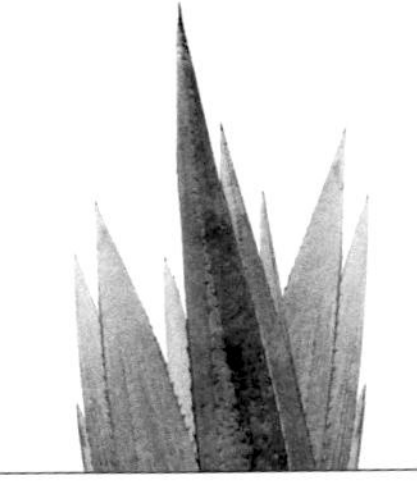

Reserva del Emperador

Para quien no conoce el mundo del agave azul, es difícil imaginar que un producto tan sofisticado, como lo es Reserva del Emperador, pueda tener su origen en el paisaje agreste donde crecen las pencas de esta planta.

Este elíxir, envasado por primera y única vez en 1995, es un tequila único, ya que sus productores han decidido no volver a producirlo hasta no contar en sus cavas con otra reserva que merezca ostentar este nombre.

Se embotellaron con este elíxir solamente 220 licoreras de cristal europeo, firmadas y numeradas. Fueron diseñadas y sopladas a mano por el maestro Alonso González, y son consideradas piezas irremplazables entre los coleccionistas y amantes de las bebidas de agave.

For those unfamiliar *with the world of blue agave, it is hard to imagine that such a sophisticated product as Reserva del Emperador could originate in the rustic landscape where these spiky plants grow.*

This elixir was released for the first and only time in 1995, after which its manufacturers decided not to produce it again until their cellars held another cache worthy of bearing the name.

This spirit was bottled in a limited series of 220 numbered and signed European crystal decanters. They were designed and hand-blown by master-craftsman Alonso González, and are considered irreplaceable among collectors and agave beverage connoisseurs.

Tequilas de La Doña, S.A. de C.V.
Tlapexco 25, colonia Palo Alto, Cuajimalpa, 05110.
México, D.F. Tel: 52 (55) 5259 5432 / Fax: 52 (55) 5570 7119
www.tequilasdeladona.com / info@tequilasdeladona.com

Licores de agave y sangritas

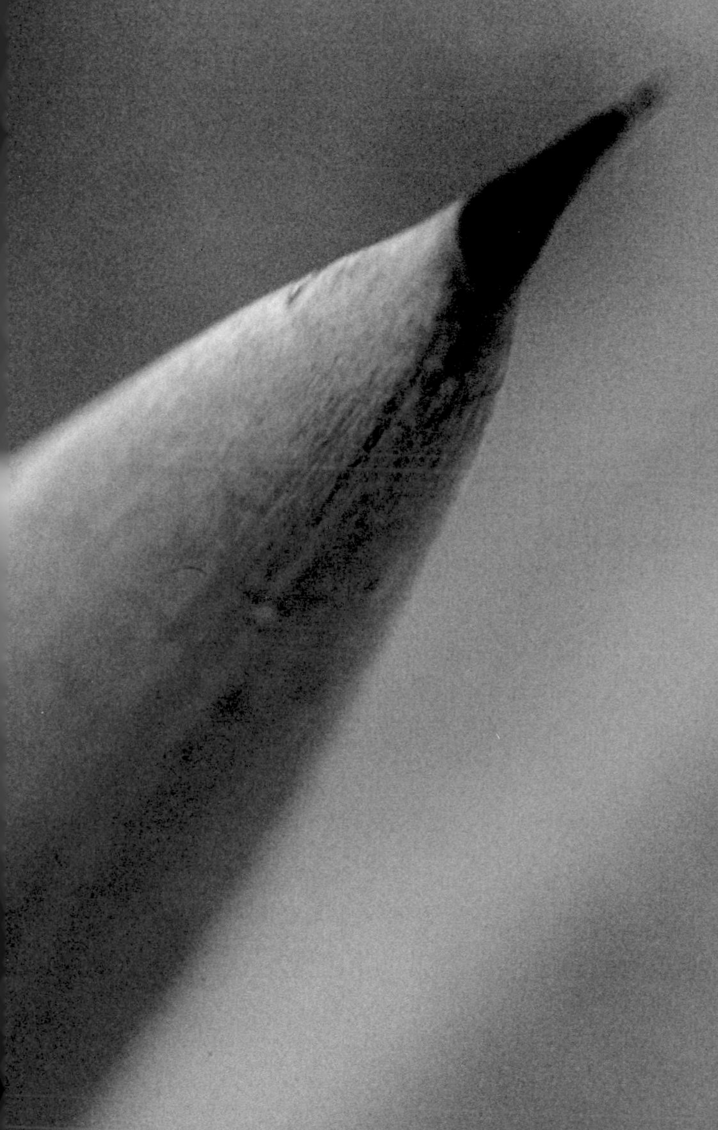

Agave Liqueurs and Sangritas

Agavero

Casa Cuervo, S.A. de C.V.
Río Churubusco 213, colonia Granjas México, 08400. México, D.F.
Tel: 52 (55) 5803 2400 / Fax: 52 (55) 5803 2408
www.cuervo.com

Hace más de un siglo, este original licor de tequila fue creado personalmente por el maestro tequilero Lázaro Gallardo, como halago al buen gusto de sus invitados especiales. Después de varias generaciones, Agavero aún se produce artesanalmente, siguiendo la fórmula secreta del maestro. Se fabrica en producciones limitadas, con los más finos tequilas añejos y reposados 100% de agave azul, a los que se añade un toque especial de flor de damiana. Su sabor y suavidad se disfrutan mejor tomándolo solo, en las rocas, con un *twist* de naranja o de limón, o en un delicioso café. Es ideal para acompañar sus postres.

***This original tequila** liqueur was created by the tequila master Lázaro Gallardo over 100 years ago to delight the taste buds of special guests. Several generations have gone by since then, and Agavero continues to be produced traditionally according to Gallardo's secret formula. It is made in limited quantities with the finest 100% blue agave reposado and añejo tequilas, with a special added touch of damiana flowers. Its smooth flavor is best enjoyed neat, on the rocks with a twist of orange or lime, or in a delicious cup of coffee. It is an ideal accompaniment to desserts.*

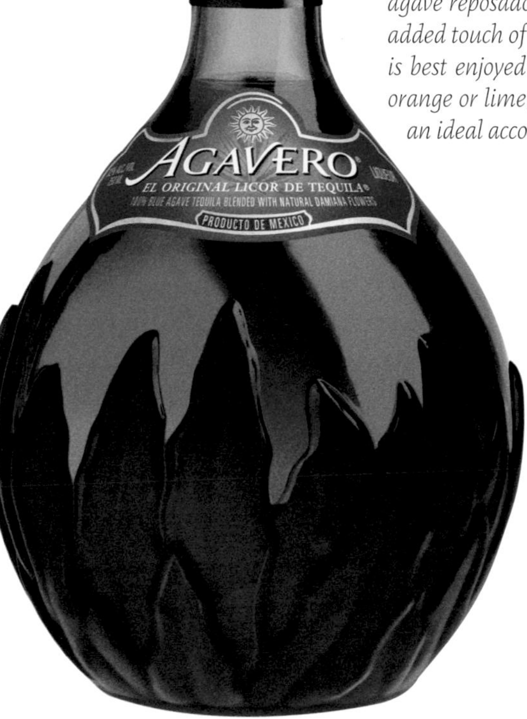

Buen País

Grupo Buen País, S.A. de C.V.
Mariano de la Madrid 1693, colonia Camino Real,
28040. Colima, Colima. Tel: 52 (312) 323 5555
www.buenpais.com.mx / buenpais@prodigy.net.mx

Buen País es una población del municipio de Tuxpan, en el sur de Jalisco. Sus habitantes son tradicionales, creen en sí mismos; su pasado les despierta un vivo interés, y elogian con orgullo las glorias del terruño. Buen País es también el nombre de una empresa ubicada en Colima, cuyos licores de agave celebran este apego por lo nuestro.

La empresa se fundó por iniciativa de tres socios del estado que buscaban promover los sabores de México. En 1999, iniciaron la producción de finos destilados que son una alabanza a la generosidad de esta tierra. Además de un exquisito licor de agave añejo, Buen País ha desarrollado otros productos como licor de café y licor de limón, en el que el sabor del tequila queda matizado con el contundente aroma del limón colimense. Este último resulta ideal para preparar el popular coctel Margarita.

Estas sofisticadas bebidas dan cuenta de la pasión y el respeto con los que algunos mexicanos celebran nuestras tradiciones, y su fina calidad nos deja ver lo que somos como nación.

Buen País *is a community in the municipality of Tuxpan, in southern Jalisco. Its inhabitants lead a very traditional life and have a strong sense of self. They have a marked interest in their history and speak proudly of the splendor of their land. Buen País is also the name of a company in Colima whose agave liqueurs celebrate this love for Mexico.*

The company was founded by three business partners from the state of Colima who were seeking to promote the flavors of Mexico. In 1999, it initiated production of fine liqueurs that are a tribute to the bounties of this land. Besides an exquisite añejo tequila liqueur, Buen País has developed other products, such as a coffee liqueur and a lime liqueur in which tequila is blended with the tart flavor of limes from Colima. The latter is ideal for preparing margaritas.

These sophisticated beverages reflect the passion and respect with which many Mexicans celebrate our traditions, and their excellence speaks of who we are as a nation.

Dobel

Casa Cuervo, S.A. de C.V.
Río Churubusco 213, colonia Granjas México, 08400. México, D.F.
Tel: 52 (55) 5803 2400 / Fax: 52 (55) 5803 2408
www.cuervo.com

Esta inusitada bebida sabe combinar los sabores de la cajeta natural con el bravo acento del tradicional Tequila 1800. Es un excelente digestivo que retoma dos ingredientes típicos de nuestro país para crear una crema verdaderamente mexicana.

Dobel se puede disfrutar solo, en las rocas, o incluso, lograr una fina combinación si se agrega un poco de esta crema a una taza de café. Al unir lo dulce de la cajeta y el carácter de la línea 1800, se demuestra que si la base es un buen tequila, el resultado es un producto de calidad inigualable. Su sabor, aroma y textura, hacen que el disfrutarla sea una deliciosa experiencia.

This surprising beverage *combines the subtle flavors of natural cajeta and the robust flavor of traditional Tequila 1800. It is an excellent digestive that combines two typical ingredients from this country to create a truly Mexican cream liqueur.*

Dobel can be served neat or on the rocks. It is also a very pleasant addition to a good cup of coffee. This blend of sweet caramelized milk and the strong character of Tequila 1800 proves that with a good tequila as a base, the result will always be excellent quality. Dobel's flavor, bouquet and texture make drinking it a delectable experience.

Jose Cuervo Cítrico

En 2006, la Norma Oficial que regula el tequila aprobó la elaboración de licores que enriquezcan el tono del agave con finas notas de sabores. Prueba de ello son los licores que Casa Cuervo lanzó al mercado, en los que las notas frutales matizan los tonos suaves del tequila *premium* estilo plata. Fue entonces cuando Casa Cuervo creó Jose Cuervo Cítrico, para celebrar una de las más tradicionales complicidades en la historia de este destilado: la de tequila con limón.

Ante una mezcla memorable, el paladar reconoce sensaciones y el espíritu evoca significados. Por eso, este novedoso licor es capaz de revivir recuerdos de nuestras más antiguas aproximaciones al tequila. En su cuerpo, su aroma y su sabor se encuentran historias de cantina y de reuniones sociales.

In 2006, *the Official Standard that regulates tequila production approved the manufacture of liqueurs that combine agave with different flavors. This has resulted in a line of liqueurs that Casa Cuervo launched in 2006, whose fruity notes add nuances to the subtle flavor of premium plata tequila. Jose Cuervo Cítrico commemorates one of the most traditional partnerships in the history of this distillate: tequila and lime.*

In this memorable blend, the palate recognizes sensations and the spirit evokes symbolisms. This unique liqueur is capable of reviving memories of our first contact with tequila. Its body, bouquet and flavor conceal stories of cantinas and social gatherings.

Casa Cuervo, S.A. de C.V.
Río Churubusco 213, colonia Granjas México, 08400. México, D.F.
Tel: 52 (55) 5803 2400 / Fax: 52 (55) 5803 2408
www.cuervo.com

Jose Cuervo Oranjo

Casa Cuervo, S.A. de C.V.
Río Churubusco 213, colonia Granjas México, 08400. México, D.F.
Tel: 52 (55) 5803 2400 / Fax: 52 (55) 5803 2408
www.cuervo.com

Pese a su profundo sabor, el tequila es un destilado versátil que sabe convivir con los sabores más inusitados.

Oranjo es una de las bebidas que lo demuestran. Sorprende por la fina y justa mezcla del tequila y la naranja, sabores que se pueden apreciar sin competir. Más que un licor de sabor, Oranjo es una alternativa para disfrutar lo mejor que Casa Cuervo sabe hacer: el tequila.

Así, Jose Cuervo Oranjo nos deja ver un rostro de la vanguardia que recupera la tradición.

Despite its intense flavor, *tequila is a versatile liquor that combines well with the most surprising flavors.*

Jose Cuervo Oranjo is proof of this, offering a surprising blend of tequila and orange where the two flavors harmonize without either of them vying for attention. More than a liqueur, Jose Cuervo Oranjo is an alternate way to enjoy what Casa Cuervo does best: tequila. And so, Jose Cuervo Oranjo reveals a form of innovation that is also a return to tradition.

Jose Cuervo Tropiña

Casa Cuervo, S.A. de C.V.
Río Churubusco 213, colonia Granjas México, 08400. México, D.F.
Tel: 52 (55) 5803 2400 / Fax: 52 (55) 5803 2408
www.cuervo.com

Para quienes pensaban que el tequila es una bebida exclusiva de la tierra agreste, Casa Cuervo creó Jose Cuervo Tropiña, un licor de tequila que sabe mezclar los sabores del Caribe con delicadas notas de agave. Esta exótica bebida puede disfrutarse en las rocas, o bien mezclarse con los ingredientes más extravagantes, para resaltar sus tonos de piña y frutas cítricas, y su base de tequila *premium* estilo plata.

Su dulce sabor es el perfecto compañero de la algarabía festiva. Así, el tequila cobra una nueva carta de identidad en nuestro imaginario: deja de ser sólo el confidente de nuestras penas en las cantinas, para convertirse en el aliado de nuestros momentos más placenteros.

***For anyone who thinks** that tequila is exclusive to the rugged Jalisco highlands, Casa Cuervo has created Jose Cuervo Tropiña, a tequila liqueur that combines the flavors of the Caribbean with the prominent taste of Mexican agave. This exotic beverage can be enjoyed on the rocks or mixed with a wide variety of ingredients that emphasize its pineapple and citric notes as well as its basic ingredient: premium plata tequila.*

Its sweetness is the perfect complement to any celebration, giving tequila a whole new identity in our imaginary. No longer is it merely the confidant of all our sorrows in the cantina: it has now become our companion during our moments of celebration.

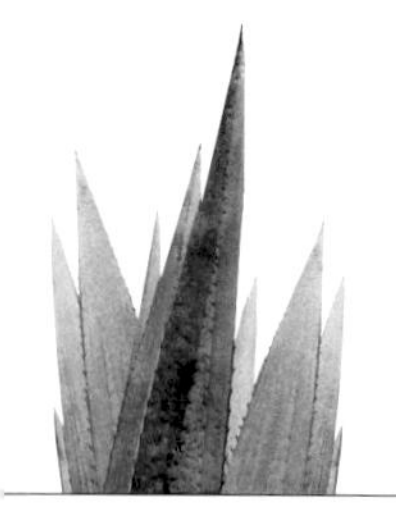

La Pinta

Casa Tradición, S.A. de C.V.
Lapislázuli 3244-201B, colonia Residencial Victoria, 45089.
Zapopan, Jalisco. Tel: 52 (33) 3560 9415 / Fax: 52 (33) 3693 1120
www.tequilaspremium.com / info@tequilaspremium.com

A semejanza de la nación mexicana, el tequila nació mestizo. Para enfatizar este carácter, Casa Tradición creó, en 1997, La Pinta, el primer licor de granada al tequila en el que se logra una armoniosa conjunción del sabor de la granada y del tequila de la familia Clase Azul. Es por esto que sus creadores afirman que al menos ocho de cada diez personas quedan enamoradas de su delicioso sabor.

Su nombre celebra a la segunda de las carabelas de Cristóbal Colón. Por eso, como nos deja ver su etiqueta, esta bebida, de símbolos y placeres, es emblema de la perseverancia y la unión de dos mundos. La Pinta es un fino licor que se puede disfrutar solo, con hielo o en cocteles como la Margarita de granada.

Like the country *of Mexico itself, tequila was born of two different cultures. This inspired Casa Tradición to create La Pinta in 1997—the first spirit to harmoniously combine the flavors of Tequila Clase Azul with pomegranate. Its creators vow that eight out of ten people who try this spirit immediately fall in love with its delicious flavor.*

The name pays homage to Christopher Columbus's second caravel. And so, as seen on the label, this tequila, conceived from symbols and pleasures, is an emblem of perseverance and the union of two worlds. La Pinta is a fine pomegranate tequila that can be served straight, on the rocks, or in cocktails such as the Pomegranate Margarita.

Sangrita Viuda de Sánchez

El origen de Sangrita Viuda de Sánchez es 100% familiar. En la década de 1920, las reuniones que organizaba José Sánchez eran las más esperadas por amigos y familiares, no sólo por el cálido recibimiento y la atención que Don José ofrecía a sus invitados, sino también por la deliciosa comida y bebida, que nunca faltaban. En estas reuniones, Guadalupe Nuño, viuda de Don José, deleitaba a sus comensales con la mejor sangrita de la región.

Casa Cuervo retoma aquella receta tradicional para preparar Sangrita Viuda de Sánchez, que tiene el justo equilibrio entre el jugo de naranja, la sal y el chile, por lo que resulta la mejor acompañante de Tequila Cuervo. Así, cada caballito de tequila acompañado de esta sangrita es un homenaje a aquellas reuniones, en las que la amistad y la tradición eran el preludio de este fino aperitivo.

Sangrita Viuda de Sánchez *began as a family business. In the 1920s, the gatherings organized by José Sánchez were much anticipated by relatives and friends, not only for the warm welcome and courtesy that Mr. Sánchez offered his guests, but also for the delicious food and drinks served. At these gatherings, José Sánchez's wife, Guadalupe Nuño, delighted her guests with the best sangrita in the region.*

Casa Cuervo follows this same traditional recipe when preparing Sangrita Viuda de Sánchez, because it features the perfect balance of orange juice, chili and salt that make it the ideal chaser for any Cuervo tequila. Each shot of tequila accompanied by this sangrita is a celebration of those gatherings where friendship and tradition were the prelude to this fine combination of beverages.

Casa Cuervo, S.A. de C.V.
Río Churubusco 213, colonia Granjas México, 08400. México, D.F.
Tel: 52 (55) 5803 2400 / Fax: 52 (55) 5803 2408
www.cuervo.com

1921 Crema de Tequila

Gracias a su sabor versátil, el tequila ha sido una bebida elegida para crear mezclas que sorprenden a los más expertos catadores. Éste es el caso de 1921 Crema de Tequila, una combinación perfecta que rescata la tradición y la elegancia de este destilado. Después de un cuidadoso proceso, el tequila está listo para formar parte de esta deliciosa crema que recoge lo mejor del agave.

Su sabor y consistencia cremosa son un deleite al paladar, y la mezcla del tequila y un delicado toque de café hacen que 1921 Crema de Tequila tenga la magia de la combinación perfecta.

Thanks to its versatile flavor, *tequila has been used to create mixtures that surprise even the most experienced tasters. This is the case of Crema de Tequila 1921, a perfect blend of ingredients that is proof of this spirit's tradition and elegance. After a meticulous distillation process, the tequila is ready to form part of this delicious crème imbued with the very best qualities of the agave.*

Its flavor and creamy consistency are a delight to the palate, and the addition of a delicate splash of coffee instills 1921 Crema de Tequila with all the magic of the perfect blend.

Corporación Licorera 1910, S.A de C.V
Camino a la Presa 1004-7, colonia La Herradura, 37170.
León, Guanajuato. Tel: 52 (477) 773 1901 / Fax: 52 (477) 779 1030
www.tequila1921.com / contact@tequila1921.com

MARCA
REGISTRADA
A. ROMERO Y MARTINEZ.
Premiado con medalla de oro
EN LAS
EXPOSICIONES DE
SAN LUIS MO. Y BUFFALO.
ELABORADO EN TEQUILA, (JALISCO) MEX.
RECETARIO DEL TEQUILA
RECIPES WITH TEQUILA
Juana Lomelí Tapuach

LA CREMA DE TEQUILA
SUPREMO VINO MEZCAL
GARANTIZADO POR
BARRETO HNOS
GUADALAJARA, JAL.
TEQUILA
Bebidas
BEVERAGES

Bebidas

Coctel de tunas rojas

INGREDIENTES:

- *1 tuna roja bien madura*
- *1 cucharada de azúcar*
- *1 chorrito de agua*
- *2 onzas de tequila blanco*
- *Hielo*

PREPARACIÓN:

Muela la tuna en la licuadora con un poco de agua. Después mezcle una taza de este jugo, el tequila y el azúcar, y licúe por unos segundos. Sirva en copas de Martini y adorne con una rodaja de tuna.

Alcatraz

INGREDIENTES:

- *1 taza de pulpa de guanábana limpia*
- *2 onzas de tequila*
- *2 cucharadas de azúcar o jarabe blanco*
- *1 mango cortado en rajas*
- *Hielo*

PREPARACIÓN:

En la licuadora vierta la pulpa, el tequila, el jarabe o el azúcar y el hielo. Licúe. Sirva en copas de Martini y decore con una raja de mango.

Tequila fresco

INGREDIENTES:

- *1 limón verde sin semillas cortado en 4*
- *4 hojas de hierbabuena cortadas en tiras*
- *4 hojas de albahaca cortadas en tiras*
- *2 cucharadas de jarabe blanco o azúcar*
- *2 onzas de tequila*
- *Hielo*

PREPARACIÓN:

Licúe el limón con dos tazas de agua y el jarabe o el azúcar. Cuele y vierta la mezcla en una jarra con el hielo, la hierbabuena y la albahaca. Sirva en vasos old fashion *con hielo, tequila y agua. Adorne con una rodaja de limón.*

Beverages

Red Prickly Pear Cocktail

Ingredients:

- *1 ripe red prickly pear*
- *1 tablespoon sugar*
- *A splash of water*
- *2 ounces white tequila*
- *Ice*

Method:

Remove the pulp from the prickly pear and purée with sugar and water. Combine one cup of prickly pear purée, the tequila and ice in a blender. Serve in martini glasses, garnished with a slice of prickly pear.

Alcatraz

Ingredients:

- *1 cup of guanábana (soursop) pulp, seeds removed*
- *2 ounces tequila*
- *2 tablespoons sugar or sugar syrup*
- *Fresh mango slices*
- *Ice*

Method:

In a blender, combine the guanábana pulp, tequila, sugar or sugar syrup and ice until smooth. Serve in martini glasses, garnished with a slice of mango.

Tequila Fresco

Ingredients:

- *1 whole lime, quartered, seeds removed*
- *4 mint leaves, in thin strips*
- *4 basil leaves, in thin strips*
- *2 tablespoons sugar or sugar syrup*
- *2 cups water*
- *2 ounces tequila*
- *Ice*

Method:

In a blender, combine the lime, water, and sugar or sugar syrup. Strain into a pitcher, then add mint and basil. Serve over ice with tequila in old-fashioned glasses. Garnish with a slice of lime.

Bebidas

Tequilas curados

Aquí presentamos las recetas para preparar tequilas saborizados en casa, tradición que no es novedosa en México, pues en diferentes lugares se han saborizado los aguardientes con cáscaras de fruta, hierbas y especias, no únicamente con un afán gastronómico, sino también con fines curativos. Todos estos tequilas pueden tomarse derechos o combinados con hielo, aguas frescas o refrescos embotellados.

Tequila restaurador

INGREDIENTES:

- *1 l de tequila blanco*
- *1 rama fresca de romero*
- *8 flores de jamaica*

PREPARACIÓN:

En una botella con un buen corcho acomode la rama de romero y las flores de jamaica. Vierta el tequila y deje macerar por siete días. Estas hierbas son restauradoras y diuréticas.

Tequila estimulante

INGREDIENTES:

- *1 l de tequila*
- *1 raja de canela de 6 cm*
- *3 pimientas gordas*
- *3 clavos de olor*
- *4 pimientas negras*

PREPARACIÓN:

Macerar todas las especias en el tequila durante siete días. Estas especias son estimulantes del apetito y del ánimo, ayudan a la digestión y son afrodisíacas.

Tequila de cítricos

INGREDIENTES:

- *1 l de tequila*
- *La cáscara de un limón verde y uno amarillo (también puede ser de lima, citronella, mandarina o naranja)*

PREPARACIÓN:

Quitar la parte blanca a las frutas, pues ésta tiende a amargar. Macerar las diferentes combinaciones de cítricos en el tequila durante una semana. Los cítricos mejoran el gusto y la vitalidad de los alimentos y favorecen la digestión.

Beverages

Flavored Tequilas

Following are some recipes for homemade flavored tequilas, based on the longstanding Mexican tradition of adding fruit peels, herbs and spices to different spirits for gastronomic and curative purposes. Flavored tequilas may be served straight up or over ice, and combined with fruit drinks or bottled soft drinks.

Restorative Tequila

INGREDIENTS:

- *1 liter blanco tequila*
- *1 sprig fresh rosemary*
- *8 dried hibiscus flowers*

METHOD:

Place the rosemary sprig and hibiscus flowers in a bottle with a good cork. Add the tequila and let stand for one week. These herbs are both restorative and diuretic.

Stimulating Tequila

INGREDIENTS:

- *1 liter tequila*
- *1 cinnamon stick, about three inches long*
- *3 whole allspice berries*
- *3 whole cloves*
- *4 black peppercorns*

METHOD:

Allow the spices to macerate in the tequila for one week. These spices stimulate the appetite and the mood, improve digestion and have aphrodisiac qualities.

Citrus Tequila

INGREDIENTS:

- *1 liter tequila*
- *The peels of one lime and one lemon (or sweet lime, citron, mandarin orange or orange)*

METHOD:

Remove the pith from the rinds, as it leaves a bitter taste. Let the peels soak in the tequila for one week. Citrus fruits enhance the flavor and nutritional quality of foods, as well as improving digestion.

TEQUILA
SELECTO
GARANTIZADA
SU PUREZA

Entradas
STARTERS

Entradas

Ensalada de berros y apio

Ingredientes:

- *3 tazas de berros limpios y tiernos*
- *4 ramas tiernas de apio, limpias y rebanadas*
- *1 aguacate maduro y firme*

Para el aderezo:

- *1/2 taza de aceite de oliva*
- *El jugo de 1 limón verde*
- *4 cucharadas de tequila blanco*
- *1 cucharadita de pimienta negra quebrada*
- *Sal al gusto*

Preparación:

Mezcle todos los ingredientes del aderezo. En un tazón coloque los berros y el apio. Antes de servir corte el aguacate en cubos y añádalo a la ensalada. Aderece.

Ensalada de filete al tequila

Ingredientes:

- *500 grs de filete de res en un trozo*

Para marinarlo:

- *1/2 taza de tequila reposado*
- *3 cucharadas de aceite de oliva*
- *1 cucharada de sal de grano*
- *1 cucharada de pimienta negra quebrada*
- *1 cucharadita de sal morena*

Para la ensalada:

- *2 tazas de jícama cortada en julianas*
- *2 zanahorias cortadas en julianas*
- *8 hojas de lechuga orejona troceada*
- *1 cebolla morada chica cortada en medias lunas*
- *1/2 taza de hojas de cilantro*
- *1 chile jalapeño desvenado y cortado en tiras muy delgadas*

Para el aderezo:

- *1/2 taza de aceite de oliva*
- *3 cucharadas de vinagre de manzana*
- *El jugo de un limón*
- *Sal al gusto*

Preparación:

Marine durante una noche el filete con la mezcla hecha con el aceite, la sal, la pimienta y el tequila. Caliente un sartén a fuego medio/alto y, cuando comience a humear, selle el filete y colóquelo al fuego hasta que quede dorado, pero sin dejar que se cueza por completo. Déjelo reposar. En un platón acomode la lechuga y encima coloque las jícamas, las zanahorias, las cebollas y el cilantro. Mezcle todos los ingredientes del aderezo. Aderece la ensalada, corte el filete en rebanadas delgadas, y sírvalo encima de ésta.

Starters

Watercress and Celery Salad

INGREDIENTS:

- *3 cups baby watercress, washed*
- *4 stalks celery, sliced*
- *1 firm ripe avocado*

For the dressing:

- *1/2 cup olive oil*
- *Juice of 1 lime*
- *4 tablespoons blanco tequila*
- *1 teaspoon coarsely ground black pepper*
- *Salt to taste*

METHOD:

Combine all the ingredients for the dressing. In a bowl, combine the watercress and celery. Just before serving, add cubed avocado and toss with dressing.

Tequila-Marinated Filet Mignon Salad

INGREDIENTS:

- *500 grams filet mignon*

For the marinade:

- *1/2 cup reposado tequila*
- *3 tablespoons olive oil*
- *1 tablespoon sea salt*
- *1 tablespoon coarse ground black pepper*
- *1 teaspoon brown salt*

For the salad:

- *2 cups jícama, julienned*
- *2 carrots, julienned*
- *8 romaine lettuce leaves, shredded*
- *1 small red onion, sliced*
- *1/2 cup fresh cilantro leaves*
- *1 jalapeño chili pepper, deveined, sliced into very thin strips*

For the dressing:

- *1/2 cup olive oil*
- *3 tablespoons apple vinegar*
- *Juice of one lime*
- *Salt to taste*

METHOD:

Combine all the ingredients for the marinade, and marinate the filet mignon overnight. Heat a pan over medium heat. When it begins to smoke, sear the filet mignon until cooked on the outside, but rare in the middle. Set aside. Arrange lettuce on a platter, then top with the jícama, carrots, onions and cilantro. Combine dressing ingredients and pour over the salad. Cut the steak into thin slices and arrange on top of the salad.

Entradas

Coctel de camarones al tequila

Ingredientes:

- *700 grs de camarón cristal pelado*
- *2 cucharadas de aceite de oliva*

Para marinar:

- *1/2 taza de tequila*
- *El jugo de un limón*
- *Sal de grano*

Para el coctel:

- *2 pepinillos cortados en cubos pequeños*
- *4 cebollas de rabo finamente picadas*
- *4 cucharadas de albahaca picada*
- *2 jitomates guaje firmes, sin semillas y picados*
- *4 ramas de cilantro finamente picadas*
- *1 chile guajillo limpio, desvenado y cortado en tiras*

Para el aderezo:

- *El jugo de dos limones*
- *1/2 taza de aceite de oliva*
- *Sal al gusto*

Preparación:

Marine los camarones con el tequila, el limón y la sal durante una hora. Caliente un sartén de teflón a fuego medio, y cuando éste humee, vierta en él el aceite de oliva y los camarones. Saltéelos y apague el fuego. Deje enfriar. En un tazón mezcle los pepinillos, los jitomates, la cebolla, la albahaca, el cilantro y el chile. Vierta los camarones y aderece. Sírvalo en tostadas con una rebanada de aguacate.

Cebiche al tequila

Ingredientes:

- *750 grs de sierra cortada en tiras muy delgadas*
- *El jugo de 8 limones*
- *1/4 de taza de vinagre de arroz*
- *1/4 de taza de agua*
- *1/4 de taza de tequila blanco*
- *1 cucharada de sal de grano*
- *4 hojas de laurel*
- *2 ramas de tomillo o 1 cucharadita, si está seco*
- *1/2 cucharadita de orégano*

Para servir:

- *1 cebolla morada fileteada*
- *2 chiles jalapeños desvenados y en tiras*
- *1/2 taza de aceite de oliva*
- *1 aguacate en rebanadas*

Preparación:

En el refrigerador, deje marinar el pescado con el limón, el agua, el tequila, el vinagre, la sal y las hierbas de olor por 24 horas para que el pescado se cueza. Sirva el cebiche en su jugo con la cebolla, el chile, el aceite de oliva y el aguacate. Disfrútelo acompañado de un buen tequila o una cerveza.

Starters

Shrimp Cocktail with Tequila

INGREDIENTS:

- *700 grams peeled crystal shrimp*
- *2 tablespoons olive oil*

For the marinade:

- *1/2 cup tequila*
- *Juice of one lime*
- *Sea salt*

For the cocktail:

- *2 dill pickles, in small cubes*
- *2 firm Roma tomatoes, seeded and chopped*
- *4 pearl onions with green tops, finely chopped*
- *4 tablespoons fresh basil, chopped*
- *4 cilantro stems with leaves, finely chopped*
- *1 guajillo chili pepper, seeded, deveined and sliced into thin strips*

For the dressing:

- *Juice of two limes*
- *1/2 cup olive oil*
- *Salt to taste*

METHOD:

Marinate the shrimp in the tequila, juice of one lime and salt for one hour. Heat a non-stick pan at medium heat until it begins to smoke, then add the olive oil and shrimp. Sauté shrimp until pink. Remove from heat and cool. In a bowl, combine pickles, tomatoes, onion, basil, cilantro and guajillo chili pepper. Add the shrimp and the dressing ingredients. Serve on tostadas with sliced avocado.

Ceviche al Tequila

INGREDIENTS:

- *750 grams sierra fish, in very thin strips*
- *Juice of 8 limes*
- *1/4 cup rice vinegar*
- *1/4 cup water*
- *1/4 cup blanco tequila*
- *1 tablespoon sea salt*
- *4 bay leaves*
- *2 sprigs fresh thyme, or 1 teaspoon dry*
- *1/2 teaspoon oregano*

Garnish:

- *1 red onion in thin wedges*
- *2 jalapeño chilies, deveined and sliced into thin strips*
- *1/2 cup olive oil*
- *Avocado slices*

METHOD:

Marinate the fish in the lime, water, tequila, vinegar, salt and herbs in a covered dish in the refrigerator for twenty-four hours or until the fish turns white. Serve the ceviche with the marinade, garnished with onion, chilies, avocado and oil. Serve with a good tequila or a beer.

SUPREMA

LA NACIONAL
CALIDAD
Platos principales
MAIN DISHES

Platos principales

Pecho de ternera al tequila

Ingredientes:

- *1 pecho de ternera de aproximadamente 2 kgs*
- *4 cebollas de rabo*
- *4 ramas de apio*
- *2 cucharadas de miel de abeja*
- *2 tazas de tequila reposado*
- *1/4 de taza de vinagre de manzana*
- *1 cebolla mediana*
- *2 dientes de ajo*
- *4 pimientas gordas*
- *3 clavos de olor*
- *6 hojas de laurel*
- *3 ramas de tomillo*
- *2 cucharadas de sal*
- *1 cucharada de pimienta negra quebrada*
- *250 grs de mantequilla*

Preparación:

Muela la cebolla y los ajos con la miel, el vinagre y la sal. Vierta esta mezcla sobre la carne, espolvoree la pimienta y vacíe el tequila. Refrigere durante ocho horas.

En una cazuela grande y gruesa sirva la ternera con todo su jugo, las cebollas de rabo, las hierbas de olor, las pimientas gordas, los clavos de olor y el apio. Cubra perfectamente y deje cocer a fuego lento de dos a tres horas. Si es necesario, puede agregar agua o más tequila para que no se seque.

Caliente el horno a 175° C. Coloque la carne en una charola, barnícela con la mantequilla y déjela dorar por unos minutos en el horno. Sírvalo acompañado con la salsa en la que se cocinó.

Pollo orgánico deshuesado al tequila

Ingredientes:

- *1 pollo orgánico deshuesado*
- *1 cebolla blanca grande fileteada*
- *1/2 taza de hojas de epazote verde*
- *2 cucharadas de aceite de oliva*
- *200 grs de mantequilla*

Para marinar:

- *2 dientes de ajo*
- *1/4 de cebolla blanca*
- *Sal y pimienta negra recién molida*
- *1/2 taza de tequila reposado*

Preparación:

Mezcle los ingredientes de la salsa para marinar y viértalos sobre el pollo. Déjelo reposar por una noche o por un par de horas en el refrigerador. En un sartén vierta un poco de aceite de oliva y sofría la cebolla. Agregue la sal, la pimienta y finalmente el epazote. Apague el fuego.

Caliente el horno por 15 minutos a 150° C. Mientras tanto, saque el pollo del refrigerador y rellénelo con la mezcla de las cebollas y el epazote, formando un rollo que habrá que atar con una cuerda o meter en una red (se pueden comprar en la sección de carnicería de los supermercados).

Ponga el pollo y la marinada en una charola para hornear, barnice el pollo con la mantequilla, tape perfectamente y hornéelo de 45 a 60 minutos. Cuando esté bien cocido, destape y déjelo dorar. Sirva acompañado con arroz a la mexicana y salsa verde.

Main Dishes

Veal Breast with Tequila

INGREDIENTS:

- *1 veal breast, approx. 2 kg.*
- *4 pearl onions with green tops*
- *4 stalks celery*
- *2 tablespoons honey*
- *2 cups reposado tequila*
- *1/4 cup apple vinegar*
- *1 medium onion*
- *2 cloves garlic*
- *4 whole allspice berries*
- *3 whole cloves*
- *6 bay leaves*
- *3 sprigs fresh thyme*
- *2 tablespoons salt*
- *1 tablespoon crushed black pepper*
- *250 grams butter*

METHOD:

In the blender, purée the medium onion, garlic, honey, vinegar and salt. Pour this sauce over the veal breast, sprinkle with pepper, then pour tequila over everything. Refrigerate for eight hours.

Place the veal with its sauce, the pearl onions, celery, herbs and spices in a large, heavy pot. Cover and cook at low for two to three hours. Check occasionally, and if necessary, add water or more tequila to keep meat from drying out.

Preheat the oven to 350°F. Place the meat on a baking sheet, baste with butter, and allow to brown for several minutes. Serve with the sauce.

Boneless Organic Chicken with Tequila

INGREDIENTS:

- *1 whole organic chicken, deboned*
- *1 large white onion, in thin wedges*
- *1/2 cup green epazote (Mexican tea) leaves*
- *2 tablespoons olive oil*
- *200 grams butter*

For the marinade:

- *2 cloves garlic*
- *1/4 white onion*
- *Salt and freshly ground black pepper*
- *1/4 cups reposado tequila*

METHOD:

In a blender, purée the ingredients for the marinade and pour over the chicken. Let marinate in the refrigerator for two hours or overnight. Sauté the onion with salt and pepper in the olive oil, then add the epazote and remove from heat.

Preheat oven to 300°F. Remove chicken from the refrigerator and stuff with the onion and epazote mixture. Form into a roll and tie with a string or wrap mesh around it (available in the butcher shop at most supermarkets).

Place the chicken in a baking dish with the marinade and baste with butter. Cover tightly and bake for 45 to 60 minutes. When cooked through (check by inserting a knife), uncover and let brown. Serve with Mexican-style rice and green salsa.

Platos principales

Risotto a la flor de calabaza

Ingredientes:

- *1 taza de arroz arborio*
- *3 tazas de flor de calabaza limpia*
- *1/2 taza de echalotes finamente picados*
- *1 chile serrano finamente picado*
- *2 cucharadas de aceite de oliva*
- *5 ramas de cilantro finamente picado*
- *2 tazas de caldo de pollo*
- *1/4 de taza de tequila reposado*
- *1 taza de queso oaxaca en cuadritos*
- *3 cucharadas de mantequilla*
- *Sal al gusto*

Preparación:

Caliente una cazuela a fuego medio, vierta el aceite, sofría por unos minutos el echalote y el chile serrano. Posteriormente vierta el arroz y el tequila sin dejar de mover, y deje que se evapore.

Poco a poco vierta el caldo de pollo y las flores de calabaza troceadas, moviendo continuamente con una pala de madera. Después de moverlo durante diez minutos, agregue el queso, el cilantro picado y la mantequilla. Agregue más caldo y no deje de mover. El arroz arborio no se deshace al moverlo, debe quedar al dente. Sirva inmediatamente.

El levanta muertos

Ingredientes:

- *4 tazas de frijoles cocidos, ya sean negros o peruanos, con todo y su caldillo*
- *1 cucharada de aceite de oliva*
- *2 ramas de epazote picado*
- *150 grs de chicharrón de cerdo troceado*
- *1 aguacate cortado en cuadros*
- *1 cebolla mediana finamente picada*
- *5 ramas de cilantro picado*
- *2 chayotes cocidos en cuadritos*

Para el caldo:

- *1/2 kg de pecho de res en trozos*
- *1 cebolla grande partida a la mitad*
- *5 dientes de ajo*
- *5 hojas de laurel*
- *4 pimientas gordas*
- *6 pimientas negras*
- *4 clavos de olor*
- *1 taza de tequila reposado*
- *Sal al gusto*

Para preparar la salsa de chipotle:

- *3 chipotles asados y desvenados, hervidos en 1/2 taza de agua*
- *1 diente de ajo asado*
- *Cebolla de rabo*

Muela todos los ingredientes con sal en la licuadora.

Preparación:

Coloque en la olla express la carne, la cebolla, los ajos, las hierbas de olor, la sal, la pimienta y los clavos. Cueza por 50 minutos. Cuele el caldo y refrigérelo. Aparte la carne y cuando el caldo esté frío, desgrase.

En una cazuela grande vierta 1 cucharada de aceite de oliva y los frijoles, sazone y agregue el epazote. Vierta el caldo de res junto con la carne y deje hervir por ocho minutos a fuego medio, verifique el sazón y vierta la taza de tequila; deje hervir otros cinco minutos. Sirva bien caliente y acompañe con tortillas. Se le puede agregar chicharrón, aguacate, salsa, cebolla, cilantro y chayotes.

Main Dishes

Squash Flower Risotto

Ingredients:

- *1 cup Arborio rice*
- *3 cups squash flowers, cleaned and coarsely chopped*
- *1/2 cup shallots, finely chopped*
- *1 Serrano chili pepper, finely chopped*
- *2 tablespoons olive oil*
- *5 cilantro sprigs, finely chopped*
- *2 cups chicken stock*
- *1/4 cup reposado tequila*
- *1 cup Oaxaca cheese, cubed*
- *3 tablespoons butter*
- *Salt to taste*

Method:

Heat the oil in a pot at medium heat. Sauté the shallots and chili pepper for a few minutes. Add the rice and sauté. Add the tequila and stir continuously until it evaporates.

Gradually add some of the chicken stock and the squash flowers, stirring constantly with a wooden spoon for ten minutes. Add the cheese, cilantro, butter and remaining chicken stock. Stir constantly until the rice is al dente, never mushy. Serve immediately.

Levanta Muertos ("Raise the Dead")

Ingredients:

- *4 cups cooked black or Peruano beans, with broth*
- *1 tablespoon olive oil*
- *2 sprigs epazote, chopped*
- *150 grams pork rinds, in pieces*
- *1 avocado, cubed*
- *1 medium onion, finely chopped*
- *5 cilantro stems, finely chopped*
- *2 chayotes, cubed and boiled*

For the broth:

- *1 kg beef brisket, in pieces*
- *1 large onion, halved*
- *5 cloves garlic*
- *5 bay leaves*
- *5 allspice berries*
- *6 peppercorns*
- *4 whole cloves*
- *Salt to taste*
- *1 cup reposado tequila*

Chipotle Salsa:

- *3 dried chipotle chilies*
- *1/2 cup water*
- *1 clove roasted garlic*
- *1 pearl onion with green top*
- *Salt to taste*

For the salsa: Roast and devein the chilies, then boil in water. Add salt and purée in blender with garlic and onion.

Method:

In a pressure cooker, combine meat, onion, garlic, herbs and spices and salt. Seal the pressure cooker and cook for fifty minutes. Strain the broth and refrigerate. Set meat aside. When the broth has cooled, skim off the fat.

In a large pot, heat the olive oil and add the beans and epazote, and season to taste. Add the beef broth and meat and bring to a boil. Simmer at medium heat for eight minutes, check the seasonings and add the tequila. Let simmer for five more minutes. Serve piping hot with tortillas and garnishes (pork rinds, chopped onion, cilantro, chayote and salsa) on the side, to be added as desired.

LEGITIMO VINO
DE
TEQUIL
ELABORADO
POR EL ANTIGUO SISTEMA DE
HORNITOS.
UNICO DEPOSITO EN CHI
RAMOS HERM
ANTIGUA CASA DE SANCHES A
JUNGHANS

Postres
DESSERTS

Postres

Manzanas al horno

Ingredientes:

- *4 manzanas verdes grandes sin corazón*
- *200 grs de mantequilla*
- *8 cucharadas de azúcar moscabada*
- *4 caballitos de tequila reposado*
- *2 cucharaditas de canela*
- *Papel aluminio*

Preparación:

Caliente el horno a 150° C. Coloque las manzanas sobre un trozo de papel aluminio, agregue mantequilla, espolvoree canela y 2 cucharadas de azúcar por manzana. Vierta un caballito de tequila y envuélvala con el aluminio, haga lo mismo con el resto de las manzanas. Colóquelas en una charola y hornéelas durante 20 minutos. Sírvalas calientes con helado de vainilla.

Budín al tequila

Ingredientes:

- *120 grs de pasitas güeras (puede sustituir la mitad de las pasitas por acitrón picado)*
- *100 mls de tequila reposado*
- *30 grs de mantequilla*
- *3 huevos*
- *350 grs de pan blanco viejo (baguette, bolillo o telera)*
- *1 l de crema*
- *360 grs de azúcar*
- *2 cucharaditas de extracto de vainilla*

Preparación:

Mezcle las pasitas con el tequila y caliente a fuego medio hasta que hierva. Apague. Engrase un molde redondo desmoldable con mantequilla. Reserve el resto de la mantequilla. Trocee el pan, vierta la crema sobre éste, deje a un lado mientras se remoja. Bata los huevos con el azúcar, añada la vainilla y el resto de la mantequilla derretida y las pasitas con el tequila. Mezcle con una pala, envolviendo el pan con la mezcla anterior y viértalo en el molde engrasado. Métalo al horno precalentado a 180° C por 45 minutos. Sirva caliente con la salsa de tequila.

Salsa de tequila: *Derrita 240 gramos de mantequilla, vierta 480 gramos azúcar y 2 huevos. Bata los ingredientes a baño maría hasta que la mezcla se engruese. Vierta el tequila y mantenga la salsa caliente.*

Trufas de chocolate al tequila

Ingredientes:

- *430 grs de chocolate amargo*
- *250 grs de mantequilla*
- *Nueces picadas o cocoa*
- *250 grs de crema espesa*
- *80 mls de tequila*
- *Pepitas caramelizadas finamente picadas*

Preparación:

Pique el chocolate y agregue la mantequilla en trozos. Caliente la crema en una cazuela a fuego medio hasta que hierva, y vierta esta mezcla sobre el chocolate y la mantequilla. Revuelva hasta que todo esté perfectamente mezclado. Agregue el tequila, mezcle y vierta esta mezcla en una charola profunda sin engrasar. Deje enfriar hasta que se ponga firme. Con una cuchara, forme las trufas y empanícelas con pepitas, nueces picadas o cocoa. Guarde en un lugar fresco.

Desserts

Baked Apples

INGREDIENTS:

- *4 large green apples*
- *200 grams butter*
- *1/2 cup brown sugar*
- *4 caballitos (large shot glasses) reposado tequila*
- *2 teaspoons cinnamon or 4 cinnamon sticks*

METHOD:

Wash apples and remove cores. Preheat oven to 300°F. Place each apple on a large sheet of aluminum foil. In the center of each apple, add a piece of butter, cinnamon (or a cinnamon stick), 2 tablespoons of sugar and a caballito of tequila. Wrap aluminum foil around each apple to avoid leaking. Set on a baking sheet and bake for 20 minutes. Serve hot with vanilla ice cream.

Bread Pudding with Tequila Sauce

INGREDIENTS:

- *3/4 cup golden raisins (or substitute chopped candied citron for half this amount)*
- *1/2 cup reposado tequila*
- *2 tablespoons butter*
- *350 grams stale white rolls or French bread*
- *3 eggs*
- *1 liter cream*
- *1 cups sugar*
- *2 teaspoons vanilla extract*

METHOD:

Combine raisins and tequila in a pot and bring to a boil. Remove from heat. Preheat oven to 350°F. Grease a springform pan. Tear bread into pieces, place in a bowl and pour cream over. Set aside. Beat the eggs with the sugar, then add vanilla, melted butter and raisins with tequila and stir. Fold in the bread and put the whole mixture into the greased pan. Bake in preheated oven for 45 minutes. Serve hot with tequila sauce.

TEQUILA SAUCE: *Melt 1 cup butter, add 2 1/2 cups sugar and 2 eggs. Beat in a double boiler until it thickens. Stir in 1 cup reposado tequila and keep sauce warm until serving.*

Chocolate Truffles with Tequila

INGREDIENTS:

- *15 ounces unsweetened chocolate*
- *1 cup butter*
- *1 cup thick cream*
- *5 tablespoons tequila*
- *Finely chopped candied pumpkin seeds*

METHOD:

Chop chocolate and butter into pieces and combine. Bring cream just to the boiling point and immediately pour over chocolate and butter. Stir well. Stir in tequila, then pour into an ungreased baking dish. Set aside until it begins to harden. Form the truffles and roll each in chopped pumpkin seeds. Chopped walnuts or cocoa may be used instead. Store in a cool place.

Directorio / Directory

Agabe Tequilana Productores y Comercializadores, S.A. de C.V.
Rincón de los Ahuehuetes 123, Col. Rinconada del Sol, 45055, Zapopan, Jalisco
T. 52 (33) 3124 3506 / **F.** 52 (33) 3124 3507
www.agabetequilana.com / ventas@agabetequilana.com
Marcas / Brands: Adelita, Agave Dosmil, Aha Yeto, Caminante, Diablo, Don Alejo, El Tajo, Mi María Bonita, Torrente, Oro Azul.

Agaves Procesados, S.A. de C.V.
Av. Tecamachalco 13, PH, Col. Reforma Social, 11650, Del. Miguel Hidalgo, D.F.
T. / F. 52 (55) 5540 0174 y 5520 9660
ventas@tequilalosazulejos.com
chris@tequilalosazulejos.com
www.tequilalosazulejos.com
Marcas / Brands: Los Azulejos.

Agaveros Unidos de Amatitán, S.A. de C.V.
Rancho Miravalle s/n, 45380, Amatitán, Jalisco
T. 52 (374) 745 0781 y 745 0526
agaveros@prodigy.net.mx / www.tequilamiravalle.com
Marcas / Brands: Diva Maya, Don Tepo, Miravalle.

Agroindustrias Casa Ramírez, S.A. de C.V.
Carretera León-Manuel Doblado km. 38, 36400, Purísima del Rincón, Guanajuato
T. 52 (477) 211 4853 / **F.** 52 (477) 211 4852
agroindustriascasaramirez@hotmail.com
Marcas / Brands: Reserva de México.

Agroindustrias Guadalajara, S.A. de C.V.
Planta/ Plant: Rancho El Herradero 100, Col. Centro, 47700, Capilla de Guadalupe, Jalisco
T. 52 (378) 712 1515 y 712 1210
Oficinas / Offices : Av. López Mateos Sur 2000-132, Col. Chapalita, 45030, Guadalajara, Jalisco
T. 52 (33) 3647 6400 / **F.** 52 (33) 3642 1331
guillermo@tequila3030.com / www.tequila3030.com
Marcas / Brands: Charro de Oro, Fiesta Mexicana, Jalisciense, Rey de Copas, Las Nuevas Trancas, 30-30.

Agrotequilera de Jalisco, S.A. de C.V.
Prolongación Medina Ascencio 567, Huaxtla, 45368, El Arenal, Jalisco
T. 01800 777 1872 / **F.** 52 (33) 3651 0905
agrotequilera@hotmail.com
www.tequilavolcandemitierra.com
Marcas / Brands: Volcán de Mi Tierra,Tequila Kila de Jalisco, Taberna de Águilas.

Brown-Forman Tequila México, S. de R.L. de C.V.
Comercio 172-1, Sector Juárez, Col. Mexicaltzingo, 44180, Guadalajara, Jalisco
T. 52 (33) 3942 3900
servicioaclientes@herradura.com.mx
www.herradura.com.mx
Marcas / Brands: Herradura, El Jimador, Hacienda del Cristero, Herradura Antiguo, Herradura Selección Suprema, Suave 35°, Tierra Mojada.

C.D.C., S.A. de C.V.
Planta / Plant: Carretera Tototlán Atotonilco km. 27, Predio Las Corrientes, Rancho el Nacimiento, 40400, Atotonilco el Alto, Jalisco
Oficinas / Offices: Chimalhuacán 3569, 2º Piso-5, Col. Ciudad de Sol, 45050, Zapopan, Jalisco
T. 52 (33) 3123 1571 / **F.** 52 (33) 3123 1570
solis@tequilapatron.com / www.patronspirits.com
Marcas / Brands: Del Patrón, Gran Patrón Platinum, Patrón.

Casa Colomos de Guadalajara, S.A. de C.V.
Alberta 2288 Piso 3-A, Col. Providencia, 44660, Guadalajara, Jalisco
T. 52 (33) 3641 3325 / **F.** 52 (33) 3641 3158
www.casacolomos.com
Marcas / Brands: Rebaño Sagrado, Campeonísimo.

Casa Cuervo, S.A. de C.V.
Periférico Sur 8500, Col. El Mante, 45601, Tlaquepaque, Jalisco
T. 52 (33) 3134 3300 / **F.** 52 (33) 3134 3347
Río Churubusco 213, Col. Granjas México, 08400, Del. Iztacalco, D.F.
T. 52 (55) 5803 2400 / **F.** 52 (55) 5803 2408
www.mundocuervo.com.mx / www.cuervo.com
Marcas / Brands: Jose Cuervo Tradicional, Jose Cuervo Cítrico, Jose Cuervo Oranjo, Jose Cuervo Platino, Jose Cuervo Especial, Reserva de la Familia, Sangrita Viuda de Sánchez, Jose Cuervo Tropiña, Black Medallion, Agavero, Dobel.

Casa Noble Tequila
La Cofradía 1297, 46700, Tequila, Jalisco
T. 52 (33) 3682 0754 y 3682 0752 **F.** (33) 1404 4014
tequila@casanoble.com
www.casanoble.com
Marcas / Brands: Casa Noble.

Casa Reyes Barajas, S.A. de C.V.
Carretera Internacional 100, Col. Obrera, 46400, Tequila, Jalisco
T. 52 (374) 742 0447 / **F.** 52 (374) 742 0723
tequiladedonjesus14@hotmail.com
casareyesbarajas@hotmail.com
Marcas / Brands: Jesús Reyes, RB D´Reyes Milenio, RB D´Reyes Natural, RB D´Reyes Torito, Reserva Familiar Tequila de Don Jesús RB.

Casa Tequilera de Arandas, S.A. de C.V.
Rancho El Cabrito, Carretera Arandas-León km 6.5, 47180, Arandas, Jalisco
T. 52 (348) 784 4454 / **F.** 52 (348) 784 4455
ejebrindismexicano@prodigy.net.mx
Marcas / Brands: Célebre, El Brindis Mexicano, Tradición Azul.

Casa Tradición, S.A. de C.V.
Lapislázuli 3244-201B, Col. Residencial Victoria,
45089, Zapopan, Jalisco
T. 52 (33) 3560 9415 / **F.** 52 (33) 3693 1120
info@tequilaspremium.com
www.tequilaspremium.com
Marcas / Brands: Clase Azul, Clase Azul Ultra,
El Teporocho, La Pinta.

Catador Alteño, S.A. de C.V.
Planta / Plant: Rancho Los Ladrillos,
Carretera Jesús María-Arandas km 1.5,
47950, Jesús María, Jalisco
T. 52 (348) 704 1548
Oficinas / Offices: Buenos Aires 2272,
Col. Providencia, 44630, Guadalajara, Jalisco
T. 52 (33) 3817 0283 / **F.** 52 (33) 3817 4011
catadoralteno@yahoo.com.mx
Marcas / Brands: Barrancas, Catador,
Catador Alteño y Quan.

Cavas Vamer, S.A. de C.V.
Iztaccíhuatl 1960, Col. Independencia,
44240, Guadalajara, Jalisco
T. 52 (33) 3699 2720, 3699 2752 y 3699 2694
elconquistador@prodigy.net.mx
Marcas / Brands: Doña Carlota,
El Conquistador, El Gran Conquistador,
Impala, Piña de Agave.

Compañía Destiladora de Acatlán, S.A. de C.V.
Independencia 157, Col. La Calma,
45700, Acatlán de Juárez, Jalisco
T. / F. 52 (387) 772 0177
destiladoradeacatlan@hotmail.com
Marcas / Brands: Distinguido, Emperador Azteca,
Gallo de Oro, Jerarquía.

Compañía Tequilera Hacienda Sahuayo, S.A. de C.V.
Calzada Revolución 1035, Col. La Puntita,
59018, Sahuayo, Michoacán
T. / F. 52 (353) 532 4592
www.tequilahaciendasahuayo.com
Marcas / Brands: Cabeza de León, Don Vallejo,
Hacienda Sahuayo.

Compañía Tequilera La Quemada, S.A. de C.V.
Planta / Plant: Carretera Guadalajara-Nogales km 31,
Col. Santa Cruz del Astillero, 46401, Arenal, Jalisco
T. 52 (374) 744 3086 y 744 3348
Oficinas / Offices: Av. España 1340, Col. Moderna,
44190, Guadalajara, Jalisco
T. 52 (33) 3810 6191 y 3810 6192
tequileralaquemada@prodigy.net.mx
www.laquemada.com
Marcas / Brands: Alma de Provinciana, Caporales, Dos
Amores, Don Carranza, El Reformador, Los Toneleros,
Para mí, Precopa, Raza Azteca, 4 Copas.

Compañía Tequilera Los Generales, S.A. de C.V.
Iztaccíhuatl 92, Ciudad del Sol,
45050, Zapopan, Jalisco
T. 52 (33) 3343 2567
www.tequilalosgenerales.com
Marcas / Brands: César Monterrey, Cóndor, JR,
Los Generales, Los Generales Bar, Los Generales
Flavored, Los Generales Golden, Los Generales
Platinum, Los Generales Organic.

Compañía Tequilera de Arandas, S.A. de C.V.
Planta / Plant: Rancho Palos Colorados s/n,
Carretera Manuel Martínez Valadés-Agua
Negra, 47180, Arandas, Jalisco
T. / F. 52 (348) 783 0763
Oficinas / Offices: Portal Allende 1-2,
Col. Centro, 47180, Arandas Jalisco
T. / F. 52 (348) 784 5440
www.tequileradearandas.com.mx
www.elcharrotequila.com.mx
Marcas / Brands: Antigua Cruz, Codorniz,
Chilango, El Charro, La Paz, Máximo, Ranchero
Jalisciense, Tepa, Tres Caballos, Tres Reyes
y Xavier Fox.

Corporación Ansan, S.A. de C.V.
Juan Ruiz de Alarcón 127,
Col. Arcos Sur, 44140, Guadalajara, Jalisco
T. 52 (33) 3615 9115 / **F.** 52 (33) 3630 2022
angel@ansan.com.mx
www.ansan.com.mx
Marcas / Brands: Con Orgullo, Honorable, Sublime.

Corporación Licorera 1910, S.A. de C.V.
Camino a la Presa 1004-7, Col. La Herradura,
37170, León, Guanajuato
T. 52 (477) 773 1901 / **F.** 52 (477) 779 1030
www.tequila1921.com
Marcas / Brands: 1921 Crema de Tequila,
1921 Tequila.

David Partida Zúñiga
Lázaro Cárdenas 26, Col. La Loma
45380, Amatitán, Jalisco
T. 52 (374) 745 0657 y 745 0657
haciendadeoro@hotmail.com
www.amatitense.com
Marcas / Brands: Amatitense, El Payo,
Hacienda de Oro, Licores Doña Jose, Oro Líquido.

Destiladora Canicas, S.A. de C.V.
Planta / Plant: Rancho Nuevo de la Cruz
Abasolo, Guanajuato
Oficinas / Offices: Andrés López 724, Col. Moderna
36690, Irapuato, Guanajuato
T. / F. 52 (462) 626 8087 / tequila@canicas.com
www.acumbaro.com / www.canicas.com
Marcas / Brands: Canicas, Acúmbaro.

Destiladora de Agave Azul, S.A. de C.V.
Cuauhtémoc 1000, Col. Vista Hermosa,
46560, San Juanito de Escobedo, Jalisco
T. / F. 52 (386) 754 0705
zajofer_05@hotmail.com / www.tequilalatarea.com
Marcas / Brands: A Valor Mexicano, Don Anselmo, La Tarea, Los Monterde, Oconahua, Rey Nayar.

Destiladora de Los Altos, S.A. de C.V.
Francisco Medina Ascencio 472,
Col. El Gallito 47180, Arandas, Jalisco
T. 52 (348) 783 0450 y 783 1994
mirna_miriam@prodigy.net.mx
spindola@prodigy.net.mx / www.haciendavieja.com
Marcas / Brands: Espuela de Oro, Hacienda Vieja.

Destiladora González González, S.A. de C.V.
Puerto Altata 1131, Col. Circunvalación Belisario,
44330, Guadalajara, Jalisco.
T. 52 (33) 3637 8484 / **F.** 52 (33) 3651 5397
destiladoragg@megared.net.mx
Marcas / Brands: Cacama, Cantera, Del Mayor, El Mayor, El Mayor Reserva, Estirpe, Juárez, Silla.

Destiladora La Barranca, S.A. de C.V.
Independencia 97, Col. Centro,
47600, Tepatitlán de Morelos, Jalisco
T. / F. 52 (378) 782 1467
tequila_jarroviejo@hotmail.com
Marcas / Brands: Escaramuza, Jarro Viejo.

Destiladora Los Magos, S.A. de C.V.
Av. de las Margaritas 177, Col. Jardines de la Calera, 45670, Tlajomulco de Zúñiga, Jalisco
T. / F. 52 (33) 3161 5854 / desmagos@yahoo.com.mx
Marcas / Brands: Cajititlán, Calera, Calera Real, Cava Antigua, Cielo y Tierra, El Adonis, Las Arañas, Prodigio, Pueblo Blanco, Querido Viejo.

Destiladora Los Sauces, S.A. de C.V.
J. Jesús Reynoso 115-A, Col. Centro,
47600, Tepatitlán de Morelos, Jalisco
T. / F. 52 (378) 715 5683 y 715 5684
ventas@tequilacava.com / www.tequilacava.com
Marcas / Brands: Cava Alteña.

Destiladora Puerta de Hierro
Carretera Guadalajara-Tepic km 32,
45350, El Arenal, Jalisco
T. / F. 52 (374) 748 1095
cavadeoro@yahoo.com.mx
www.tequilapuertadehierro.com
Marcas / Brands: Adrenalina, Águila Dorada, Cava de Oro, CDF.

Destiladora Rubio, S.A. de C.V.
Carretera Internacional 200, Col. Santa Cruz,
46400, Tequila, Jalisco
T. / F. 52 (374) 742 1304, y 742 2830
derubio200@hotmail.com
Marcas / Brands: La Carroza, La Invencible, Los Talpeños, 3 Hermanas.

Destiladora San Nicolás, S.A. de C.V.
Planta / Plant: Camino Real Atotonilco 1081, Rancho San Nicolás, 47180, Arandas, Jalisco
T. / F. 52 (348) 701 2221 y 701 2222
Oficinas / Offices: Hidalgo 1225, Col. Americana, 44200, Guadalajara, Jalisco
T. / F. 52 (33) 3827 6266 y 3827 6267
tequila_espolon@yahoo.com.mx
espolon_planta@hotmail.com
Marcas / Brands: Corazón de Agave, Don Celso, El Espolón, San Nicolás.

Destiladora Santa Virginia, S.A. de C.V.
Sierra Oriental 251, Fraccionamiento Sierra Hermosa, 47694, Tepatitlán de Morelos, Jalisco
T. 52 (378) 701 0020 / **F.** (378) 701 0021
sangre_altena@yahoo.com
Marcas / Brands: Dorado Real, Los Yugos, Sangre Alteña.

Destilería Leyros, S.A. de C.V.
Carretera Guadalajara-Tepic 394, El Rosario,
46400, Tequila, Jalisco
T. 52 (374) 742 2065, 742 1514 y 742 1553
elegorretap@yahoo.com.mx
Marcas / Brands: Leyros, Ópalo Azul, Ortigoza.

Destilerías Sierra Unidas, S.A. de C.V.
Puerto Altata 1131, Col. Circunvalación Belisario, 44330, Guadalajara, Jalisco
T. 52 (33) 3637 8484 / **F.** 52 (33) 3651 5397
mhernandez@desbocorp.com.mx
Marcas / Brands: Sierra, Sierra Antiguo.

Destilería 501, S.A. de C.V.
Planta / Plant: Juárez 329, Col. Centro,
45350, El Arenal, Jalisco
T. 52 (364) 648 0275
Oficinas / Offices: Camino Arenero 350-B, Col. El Bajío, 45019, Zapopan, Jalisco
T. / F. 52 (33) 3682 0945 y 3682 0946
destileria501@prodigy.net.mx
dest501@prodigy.net.mx
Marcas / Brands: Evolución, Excelencia Navideña, Tacuara, Pepe Cebada.

Embotelladora San Lorenzo, S.A. de C.V.
Jacarandas 51-1, Col. Jardines de Tepa,
47600, Tepatitlán de Morelos, Jalisco
T. / F. 52 (378) 782 7550, 782 7560 y 782 7570
embotelladorasanlorenzo@hotmail.com
flordejalisco@gmail.com
Marcas / Brands: Rancho Nuevo, Flor de Jalisco.

Empresa Ejidal Tequilera de Amatitán, S.P.R. de R.L. de C.V.
Camino Ex-Hacienda del Refugio s/n, Col. Ejidal, 45380, Amatitán, Jalisco **T.** 52 (374) 745 0043
ejidal@prodigy.net.mex / www.tequilaregional.com.mx
Marcas / Brands: Leyenda Regional, Regional.

Ex Hacienda Los Camichines
Reforma 100, 45430, La Laja, Jalisco
Marcas / Brands: Tenampa, Gran Centenario, Gran Centenario Plata, Gran Centenario Azul, Gran Centenario Azul Gran Reserva, Gran Centenario Leyenda.

Fábrica de Aguardientes de Agave La Mexicana, S.A. de C.V.
Rancho Llano Grande, Carretera Arandas-León km 2.5, 41180, Arandas, Jalisco
T. / F. 52 (348) 784 6051, 784 4438, 784 4437
martingh_7@hotmail.com
Marcas / Brands: Forastero, Llano Grande, Monarca, México Viejo, San José de la Paz, Mexiquito.

Fábrica de Tequila Don Nacho, S.A. de C.V.
Carretera Arandas-Tepatitlán km 11.5, Rancho Presa de Barajas, 47180, Arandas, Jalisco
T. / F. 52 (348) 784 5098 y 784 4902
www.tequiladonnacho.com
Marcas / Brands: Don Nacho, Somonque.

Fábrica de Tequila El Edén, S.A. de C.V.
Rancho El ocote de en medio, Libramiento sur Carretera Arandas-León, 47180, Arandas, Jalisco
T. / F. 52 (348) 784 7041
tequiladoserres@hotmail.com
Marcas / Brands: Don Filemón, Don Margarito, Dos RR, El Albardón, El Ocote, Frida Kahlo, Insignia, Los Tres García de Arandas, Marqués de Valencia, Regimiento.

Fábrica de Tequila El Nacimiento, S.A. de C.V.
Morelos 217, Col. Centro, 47180, Arandas, Jalisco
T. 52 (348) 785 5416 / **F.** 52 (348) 784 4950
tequilanacimiento@hotmail.com
Marcas / Brands: El Nacimiento, Espuela Dorada, José Julián, La Terna, Tierra de Leyendas.

Fábrica de Tequilas Finos, S.A. de C.V.
Héroe de Nacozari 5, Col. La Estación 46400, Tequila, Jalisco
T. 52 (374) 742 1811, 742 2232 y 742 2234
F. 52 (374) 742 1939 / tequilasfinos@prodigy.net.mx
Marcas / Brands: Don Camilo, Dos Manos, Efecto, El Diamante del Cielo, Pancho Pistolas, Tenoch, Tonalá, Tres Manos, Trovador, Santos, Sol Dios, Stallion, Tresmanos Zapopan, La Prima de Pancho.

Fábrica de Tequila Tlaquepaque, S.A. de C.V.
Antigua Carretera a Chapala 6443, Col. Las Pintas, 45690, El Salto, Jalisco
T. 52 (33) 3616 4371 / tequilatlaquepaque@gmail.com
Marcas / Brands: Fiestas de Mayo, Frontera, Senda Real, Tlaquepaque, Tres Ríos.

Fábrica Los Camichines
Reforma 100, 45430, La Laja, Jalisco
Marcas / Brands: Tequila 1800.

Familia Partida, S.A. de C.V.
Lázaro Cárdenas 26, Jardines de la Cruz, 45380, Amatitán, Jalisco
T. 52 (374) 745 0957 / **F.** 52 (374) 745 1407
Marcas / Brands: Partida.

Feliciano Vivanco y Asociados, S.A. de C.V.
Carretera Arandas-Tepatitlán km 2, 47180, Arandas, Jalisco
T. / F. 52 (348) 783 0780
josemvivanco@hotmail.com
Marcas / Brands: Amistad, Buscadores, Del Mío, El Bandido Negro Especial, Hacienda Estipac, Mañana, Plantador, Qué pasó, Sangre de México, Siembra Azul, Viva México, Voodoo Tiki, Casa Robles, Hacienda Luiseño.

Grupo Amate, S.A. de C.V.
Av. Manuel Acuña 2674-203, Col. Ladrón de Guevara, 44600, Guadalajara, Jalisco
T. 52 (33) 3641 4380 y 3641 4340
www.amate.com
Marcas / Brands: Amate.

Grupo Buen País, S.A. de C.V.
Mariano de la Madrid 1693, Col. Camino Real, 28040, Colima, Colima **T.** 52 (312) 323 5555
buenpais@prodigy.net.mx
www.buenpais.com
Marcas / Brands: Buen País Licor de limón, Licor de café, Licor de agave.

Grupo Familiar Don Crispín, S.A. de C.V.
Peña Blanca 2, Col. Los Agaves, 48400, Cabo Corrientes, Jalisco
T. / F. 52 (322) 223 6003 y 223 6002
teqdoncrispin@hotmail.com
Marcas / Brands: Don Crispín.

Grupo Industrial Tequilero de los Altos de Jalisco, S.A. de C.V.
Carretera Arandas-Tepatitlán km 17.5, Col. La Loma, 44190, San Ignacio Cerro Gordo, Jalisco
T. / F. 52 (348) 716 0317 y 716 0318
info@tequilacampanario.com
www.tequilacampanario.com
Marcas / Brands: Campanario, El Carril.

Grupo Internacional de Exportación, S.A. de C.V.
Carretera Guadalajara-Chapala 22 km 15, 45640, Tlajomulco de Zúñiga, Jalisco

T. / F. 52 (33) 3688 0611 y 3164 6270
tequilero53@hotmail.com
Marcas / Brands: El Retiro, La Mesa, La Revancha.

Grupo Tequilero Internacional, S.A. de C.V.
Av. Adolfo López Mateos 3700, Col. La Calma,
45070, Zapopan, Jalisco
T. 52 (33) 3632 8484 y 1134 3638
jfsr@grupotequilero.com / www.grupotequilero.com
Marcas / Brands: Casta, Mi Tiempo.

Grupo Tequilero México, S.A. de C.V.
Francisco Medina Ascencio 530-1, Col. Centro,
47180, Arandas, Jalisco
T. / F. 52 (348) 784 7150, 784 7310 y 784 7311
gtm@tequilacasareal.com.mx
Marcas / Brands: Bambarria, Casa Real, Casa Vieja, Palapa, Ranchero, Ranchero Premium, Silvercoin, Terrateniente, Tierra Brava.

Hacienda de Oro, S.A. de C.V.
Prolongación Lázaro Cárdenas 26, Col. La Loma,
45380, Amatitán, Jalisco
T. 52 (374) 745 0957, 745 0657 y 745 1757
haciendadeoro@hotmail.com
Marcas / Brands: Arrendador, Clímax, Doña Pirichona, El Último Agave, Exquisito, Hacienda de Oro, Honesto, Semental, Tazón, XQ, Don Clemente.

Hacienda La Capilla, S.A. de C.V.
Rancho la Paleta 1000, Col. Capilla de Guadalupe,
47700, Tepatitlán, Jalisco
T. 52 (378) 712 2200, 712 2201 y 712 2202
F. 52 (378) 712 2203
direccion@haciendalacapilla.com
Marcas / Brands: Cavalino, Delicias, El Amo, El Mandamás, Hacienda Don Diego, Hacienda La Capilla, Ley .925, Orgullo Heredado, Tequilame, Valle Querido, 5 Años, La Reata.

Hacienda La Perseverancia
Distribuidor: Bacardi y Compañía, S.A. de C.V.
Francisco Javier Sauza Mora 80, Col. Centro,
46400, Tequila, Jalisco / **T.** 52 (374) 742 0243
Marcas / Brands: 100 Años.

Impulsora Rombo, S.A. de C.V.
Carretera Tepa-Guadalajara km 7,
Col. Rancho el Tepame,
47600, Acatic, Jalisco
T. 52 (378) 782 7404 / **F.** 52 (378) 782 6405
zfrrnch@aol.com
Marcas / Brands: Arrogante, Cabo Uno, Don Alipio, Don Enrique, Fineza, Las Coronelas, Terrafirme, Zafarrancho.

Industrializadora de Agave San Isidro, S.A. de C.V.
Camino Tepatitlán-San José de Gracia km 2,
Col. Del Carmen, 47690, Tepatitlán de Morelos, Jalisco
T. 52 (378) 782 5231, 782 5232 y 782 5233
F. 52 (378) 782 5230
tequila_cristeros@hotmail.com
Marcas / Brands: Chimayo, Compañero, Cristeros, Chaya, Chimayo, Don Jacinto, Don Max, Don Ramón, El Cofre de Oro, El Agave Artesal, El Mexicano, El Secreto, La Doña, Leyenda Antigua, Leyenda del Milagro, Origine, Romance, Redondel Diamante, Reserva de Don Ramón, Sol y Sombra, Tres Añero, 4 Machos.

Industrializadora Integral del Agave, S.A. de C.V.
Periférico Sur 7750, Col. Santa Ma. Tequepexpan,
45601, Tlaquepaque, Jalisco
T. 52 (33) 3003 4450, 3003 4451 / **F.** 52 (33) 3134 4051
monica.gomez@iidea.com.mx
iidea@naturel.com.mx / www.iideaweb.com
Marcas / Brands: Altanero, Buen Amigo, Don Álvaro, El Armadillo Loco, El Tepozán, Entre Amores, Galante, Infinidad, Naturel, Océano, Saleroso, Selección, Serafina, Serpiente, Tequi Rock, Xel-Ha, 50 Estrellas.

Jorge Salles Cuervo y Sucesores, S.A. de C.V.
Leandro Valle 991, Col. Centro,
44100, Guadalajara, Jalisco
T. / F. 52 (33) 3614 9400, 3613 7958 y 3614 4003
tequileno@tequileno.com
Marcas / Brands: El Tequileño, El Tequileño Especial, Gran Reserva.

José Ascención Sandoval Villegas
Lázaro Cardenas 6, Col. Centro,
45350, El Arenal, Jalisco
T. / F. 52 (374) 748 0011
Marcas / Brands: El Chorrito.

La Madrileña, S.A. de C.V.
Planta / Plant: Carretera Guadalajara-La Piedad km 64, 47730, Tototlán, Jalisco
T. / F. 52 (33) 3875 8800 y 3875 8807
Oficinas / Offices: Insurgentes Sur 800,
Torre Logar piso 17, Col. Del Valle,
03100, Del. Benito Juárez, D.F.
T. 52 (55) 5090 1900 y 5090 1910 / **F.** 52 (55) 5090 1976
ismael.guerrero@madrileña.com.mx
www.madrileña.com.mx
Marcas / Brands: Jarana, Mayorazgo.

Maestro Tequilero, S.A. de C.V.
Guillermo González Camarena 800 Piso 4, Col. Santa Fe,
01210, Del. Álvaro Obregón, Distrito Federal
T. 52 (55) 5258 7000
Marcas / Brands: Maestro Tequilero.

Metlalli, S.A. de C.V.
Carretera El Salvador s/n Chome-Amatitán
km 11, 45380, Amatitán, Jalisco
T. / F. 52 (374) 745 0120 / fcopartida@hotmail.com
www.tequilerosdeamatitan.com

Marcas / Brands: Buen Agave, Flor de Jalisco, Tierra de Indios.

Montaña Sol y Cactus, S. de R.L. M.
Carretera Victoria-Monterrey km. 12 s/n,
Ejido Laborcitas, 87261, Cd. Victoria, Tamaulipas
T. 52 (834) 123 0071
sergioniebla@yahoo.com.mx / cniebla@yahoo.com
www.lapicotaconsaboratamaulipas.com.mx
Marcas / Brands: La Picota con sabor a Tamaulipas.

Panamericana Abarrotera, S.A. de C.V.
Lago Athabaska 164-C, Col. Huichapan,
Tacuba, 11290, México, D. F. **T.** 52 (55) 5399 3000
ventas@pasa.com.mx
www.dontacho.com / www.pasa.com.mx
Marcas / Brands: Don Tacho.

Pernod Ricard México, S.A. de C.V.
Av. del Tequila 1, 47180, Arandas, Jalisco
T. 52 (348) 784 5973, 784 6731 y 784 6732
F. 52 (348) 784 5966
maria.ascensio@casa-pedro-domecq.com
www.tequilaolmeca.com
Marcas / Brands: Inmemorial, Viuda de Romero, Mariachi, Olmeca, Olmeca Tezón, RH Real Hacienda, Tevado, Agavia.

Procesadora de Agave Pénjamo, S.A. de C.V.
Camelinas 2, Col. Centro, 36900, Pénjamo, Guanajuato
T. 52 (469) 692 2450 / **F.** 52 (469) 692 2895
www.tequilarealdepenjamo.com.mx
Marcas / Brands: Real de Pénjamo.

Productores de Agave y Derivados del Degollado, S.P.R. de R.L.
Camino a los Ranchitos 181, Col. San Agustín
47980, Degollado, Jalisco
T. / F. 52 (345) 937 1881 y 937 2743
destiladora_degollado@hotmail.com
www.proagave.com
Marcas / Brands: Degollado, El Dadito.

Productos Finos de Agave, S.A. de C.V.
Carretera Jesús María-Ayotlán km 1.5,
47950, Jesús María, Jalisco
T. 52 (348) 704 0007 y 704 0028
Oficinas / Offices: Av. Plan de San Luis 1402-A,
Col. Mezquitán Country, 44260, Guadalajara, Jalisco
T. 52 (33) 3823 1738 / **F.** 52 (33) 3823 1644 ext. 103
ventas@tequilacampoazul.com
contacto@tequilacampoazul.com
www.tequilacampoazul.com
Marcas / Brands: Agavales, Campo Azul, Don Alejandro, Rancho Alegre, Rancho Caliente.

Productos Regionales de Atotonilco, S.A. de C.V.
Betabel 2574-13, Col. Mercado de Abastos,
44530, Guadalajara, Jalisco
T. 52 (33) 3671 1308 / **F.** 52 (33) 3671 1319
prasa@megared.net.mx
Marcas / Brands: Los Kikirikis, Sol de México, El Pórtico, El Rincón.

Proveedora y Procesadora de Agave Tres Hermanos, S.A. de C.V.
Adolfo López Mateos 74, Col. Centro,
45380, Amatitán, Jalisco
T. 52 (374) 745 0432 y 745 0961
www.elfogonero.com.mx
Marcas / Brands: El Fogonero.

Tequila Arette de Jalisco, S.A. de C.V.
Av. La Paz 2325, Col. Arcos Sur, 44140,
Guadalajara, Jalisco
T. 52 (33) 4077 0000 y 4777 0002 / **F.** 52 (33) 3615 1646
www.tequilaarette.com
Marcas / Brands: Agave de Oro, Arette, Arette Gran Clase, Arette Unique, El Gran Viejo, Esperanto, Express.

Tequila Artesanal de Los Altos de Jalisco, S.A. de C.V.
Rancho Agua Fría s/n San Francisco de Asís,
47755, Atotonilco el Alto, Jalisco
T. 52 (391) 931 7304 / **F.** 52 (391) 931 7305
tequilartesanal@yahoo.com.mx
Marcas / Brands: Fina Estampa.

Tequila Casa de los González, S.A. de C.V.
Distribuidor: Vinos América, S.A. de C.V.
Av. de la Paz 2190, Col. Obrera Centro,
44140, Atotonilco el Alto, Jalisco
T. / F. 52 (33) 3344 8045, 3344 8046 y 3344 8047
ebooth@tcdg.com.mx / rruelas@tcdg.com.mx
www.tcdg.com.mx
Marcas / Brands: Reserva de los González, Sancoy.

Tequila Cascahuin, S.A.
Hospital 423, Col. Centro, 44280, Guadalajara, Jalisco
T. 52 (33) 3658 4820 / **F.** 52 (33) 3614 9958
tequilacascahuin@hotmail.com
Marcas / Brands: Arfor, Caballo Azteca, Caballo de Hacienda, Camino Real, Cascahuin, Cuernito, Revolución, Quinto.

Tequila Cazadores de Arandas, S. de R.L. de C.V.
Bacardi y Compañía, S.A. de C.V.
Libramiento Sur km 3, Col. Zona Industrial,
47180, Arandas, Jalisco
T. 52 (348) 784 9000 / **F.** 52 (348) 784 9000 ext. 111
elodia.hernandez@cazadores.com.mx
www.tequilacazadores.com
Marcas / Brands: Cazadores, Corzo, 4 Vientos.

Tequila Centinela, S.A. de C.V.
El Centinela s/n, Carretera Arandas-Tepatitlán
por libramiento Martínez Valadés,
47180, Arandas, Jalisco

T. / F. 52 (348) 783 0468, 783 0469 y 783 0933
www.tequilacentinela.com.mx
Marcas / Brands: Cabrito, Caracol, Centinela.

Tequila Delicias, S.A. de C.V.
Roble 423, Col. Tabachines,
45650, Tlajomulco de Zúñiga, Jalisco
T. / F. 52 (33) 3631 0022
delicias@tequila-delicias.com
Marcas / Brands: Agave Real, Delicias.

Tequila Don Julio, S.A. de C.V.
Pofirio Díaz 17, Col. El Chichimeco,
47750, Atotonilco el Alto, Jalisco
T. 52 (391) 917 2711 y 917 0830
grisel_vargas@tdj.com.mx / www.donjulio.com
Marcas / Brands: Don Julio, Don Julio Real, Tres Magueyes, Don Julio 1942.

Tequila Doña Engracia, S.A. de C.V.
Carretera a las Palmas s/n, la Desembocada,
48272, Puerto Vallarta, Jalisco
T. / F. 52 (322) 281 2841, 281 2842 y 281 2843
haciendadonaengracia@gmail.com
www.haciendadonaengracia.com.mx
Marcas / Brands: Doña Engracia, Delta, Cheers, Hilo, Xitomates.

Tequila El Agave Artesanal, S.A. de C.V.
Independencia 82, Col. Coyula,
45405, Tonalá, Jalisco
T. 52 (33) 3690 5884 y 3690 5892
elagave@yahoo.com.mx / www.elagaveartesanal.com
Marcas / Brands: El Agave Artesanal.

Tequila El Viejito, S.A. de C.V.
Eucalipto 2234, Col. Del Fresno,
44900, Guadalajara, Jalisco
T. 52 (33) 3812 3810 / **F.** 52 (33) 3812 9590
tequilaelviejito@megared.net.mx
www.tequilaviejito.com
Marcas / Brands: El Viejito, Los Cinco Soles, Don Quixote, Mico, Mi Viejo, Águila, José Mandes, Calende, Rosita, Sunny Hill, Tikal, Rainbow Red, Tortuga, Distingt, Sainsbury's, Zapotec, Rubí, Durango.

Tequila Embajador, S.A. de C.V.
Carretera Atotonilco-Arandas km 7, Col. Rancho Santa Rosa, 44750, Atotonilco el Alto, Jalisco
T. / F. 52 (347) 718 0384 / tequilaembajador@hotmail.com
Marcas / Brands: Embajador Jalisciense, Jalisco Alegre, EG El General, El Consuelo.

Tequila Galindo, S.A. de C.V.
Presa de Barajas 4-D km. 1, Crucero Arandas-Atotonilco, 47180, Arandas, Jalisco
T. / F. 52 (378) 712 1361
tequilagalindo@hotmail.com
Marcas / Brands: Galindo, Hacienda Galindo, Flor de Agave.

Tequila Insignia, S.A. de C.V.
Lago Silverio 220, Col. Anáhuac
11320, Del. Miguel Hidalgo, Distrito Federal
T. 52 (55) 5260 4020 / **F.** 52 (55) 5260 1180
ventas@insignia.com.mx
Marcas / Brands: Baluarte, Insignia.

Tequila La Cofradía, S.A. de C.V.
La Cofradía 1297, Col. Cofradía, 46400, Tequila, Jalisco
T. 52 (374) 742 1015 y 742 3778
F. 52 (374) 742 3677
lacofradia@infosel.net.mx
www.tequilacofradia.com
Marcas / Brands: Aguascalientes, Amate, Artillero, Calende, Casa Cofradía, Cava del Villano, Comalteco, De los Dorados, Don José López Portillo, Don Primo, Don Viejo, Hacienda de la Flor, La Cofradía, Lajach, Los Cofrades, Nueva Era, Pepe Vinoria, Sevilla la Villa, Tekio, Tres Alegres Compadres, XXX Siglo Treinta, La Lisa.

Tequila La Parreñita, S.A. de C.V.
Av. Alcalde 859, Col. Centro,
44280, Guadalajara, Jalisco
T. / F. 52 (33) 3613 6076 y 3614 8892
parrexit@prodigy.net.mx
Marcas / Brands: Parreñita, Arenal, Caballo Moro, Jorge Ruiz, Pachuca, Pachuca Sonora.

Tequila Las Américas, S.A. de C.V.
María Guadalupe Hernández Loza 45,
Col. Obrera 45380, Amatitán, Jalisco
T. / F. 52 (374) 745 0301 y 745 0174
eladio@tequiladonabraham.com
www.tequilalasamericas.com.mx
Marcas / Brands: Don Abraham, El Último Tirón.

Tequila Los Abuelos, S.A. de C.V.
Tabasco 153-A, Col. Colorado,
46400, Tequila, Jalisco
T. / F. 52 (374) 742 0154
Vicente Albino Rojas 22, Col. Centro,
46400, Tequila, Jalisco
T. (374) 472 0247
abuelo@losabuelos.com / www.losabuelos.com
Marcas / Brands: Los Abuelos, Fortaleza.

Tequila Orendain de Jalisco, S.A. de C.V.
Prolongación Av. Vallarta 6230, Col. Jocotán,
45017, Zapopan, Jalisco
T. 52 (33) 3777 1818 / **F.** 52 (33) 3777 1810
contacto@casaorendain.com
www.casaorendain.com
Marcas / Brands: Orendain, Orendain Anniversario, Ollitas, Orendain Extra, Orendain Blanco, Puerto Vallarta, San Andrés, Kaloré, Orendain Celebración.

Tequila Quiote, S.A. de C.V.
Extramuros 502, Col. San Francisco de Asís,
47750, Atotonilco el Alto, Jalisco
T. 52 (391) 931 7080 y 931 7641 / **F.** 52 (391) 931 7741
info@tequilaquiote.com
Marcas / Brands: Quiote, Chamucos, Cava Don Anastacio, Distillers Pride, El Mante, El Toril, Hacienda de los Díaz, Puerto Vallarta, Dos Coronas, Hijos de Villa, Sólo México, Topaz, Hermanos Large, Caballito Cerrero.

Tequila San Matías de Jalisco, S.A. de C.V.
Calderón de la Barca 177, Col. Arcos Sur,
44100, Guadalajara, Jalisco
T. 52 (33) 3001 0800 / **F.** 52 (33) 3001 0800 ext. 103 y 120
info@sanmatias.com / www.sanmatias.com
Marcas / Brands: San Matías, Pueblo Viejo, Pueblo Viejo Orgullo, Rey Sol, Carmesí, San Matías Gran Reserva, San Matías Legado.

Tequila Santa Fe, S.A. de C.V.
Gobernador Curiel 1708, Col. Morelos
44910, Guadalajara, Jalisco
T. / F. 52 (33) 3811 7903 y 3811 0346
santafe@tequila_santafe.com.mx
www.tequilasantafe.com.mx
Marcas / Brands: Santa Fe, 1000 Agaves.

Tequila Sauza, S.A de C.V.
Distribuidor: Bacardi y Compañía, S.A. de C.V.
Av. Vallarta 6503 Local 49, Col. Ciudad Granja,
45010, Zapopan, Jalisco
T. 52 (33) 3679 0600 y 01800 502 7115/ **F.** 52 (33) 3679 0691
www.tequilasauza.com.mx
Marcas / Brands: Sauza Blanco, Sauza Conmemorativo, Galardón, Sauza Extra / Gold, Sauza Hornitos, Sauza Tres Generaciones, Sauza Hacienda, Hacienda Black.

Tequila Selecto de Amatitán, S.A. de C.V.
Camino a la Villa de Cuerámbaro s/n km 2,
45380, Amatitán, Jalisco
T. / F. 52 (374) 745 0690
teqselectoamatitan@prodigy.net.mx
Marcas / Brands: El Buen Bouquet, Tierra Azul, Los Tres Toños, Oro y Plata, Mi Tierra.

Tequila Siete Leguas, S.A. de C.V.
Mariposa 1139, Col. Jardines de la Victoria,
44530, Guadalajara, Jalisco
T. 52 (33) 3671 4046 / **F.** 52 (33) 3671 2064
fromero@tequilasieteleguas.com.mx
www.tequilasieteleguas.com.mx
Marcas / Brands: Antaño, 7 leguas, D'Antaño.

Tequila Supremo, S.A. de C.V.
Carretera a la Base Aérea 3640-4,
Col. Base Aérea II, 45200, Zapopan, Jalisco
T. 52 (33) 3836 4420
F. 52 (33) 3836 4421
casco@cascoviejo.com.mx
www.cascoviejo.com.mx
Marcas / Brands: Casco Viejo, La Cava de Don Agustín, Dos Amigos, Antiguo Origen, Azteca Azul, Tahona, Maracame, Gran Maracame.

Tequila Tapatío, S.A. de C.V.
Álvaro Obregón 35, Col. Centro,
47180, Arandas, Jalisco
T. / F. 52 (348) 783 0425 y 783 1666
tequilatapatio1@prodigy.net.mx
Marcas / Brands: El Tesoro de Don Felipe, Tapatío, Tesoro Paradiso.

Tequila Tres Mujeres, S.A. de C.V.
Carretera Internacional Guadalajara-Nogales
km 39, 45380, Amatitán, Jalisco
T. / F. (374) 748 0140 y 748 0108
tequilatresmujeres@hotmail.com
www.tequilatresmujeres.com.mx
Marcas / Brands: Abandonado, Las Potrancas, Rebozo, Tres Mujeres, Miramontes, Misionero, Hacienda Navarro, Tamatán, El Tesoro de Mi Tierra, La Tarjea, Afamado, Tequilady, María Eugenia.

Tequilas del Señor, S.A. de C.V.
Río Tuito 1193, Col. Atlas 44870, Guadalajara, Jalisco
T. 52 (33) 5000 5204 / **F.** 52 (33) 5000 5229
ana.moreno@tqds.com.mx
www.tequiladelsenor.com.mx
Marcas / Brands: Reserva del Señor, Diligencias, César García, Sombrero Negro, Herencia de Plata, Oro Viejo, Tico, Margalime, Río de Plata, García, Tierra Viva, Herencia, Histórico 27 de Mayo Solera '97, Dos Lunas, Casamagna, Es México, Don Diego Santa.

Tequilas de La Doña, S.A. de C.V.
Tlapexco 25, Col. Palo Alto,
05110, Cuajimalpa, México, D.F.
T. 52 (55) 5259 5432 / **F.** 52 (55) 5570 7119
info@tequilasdeladona.com
www.tequilasdeladona.com
Marcas / Brands: Don Max, Don Maximiliano, El Capricho, El Duende, El Secreto, La Doña, Reserva del Emperador.

Tequileña, S.A. de C.V
Distribuidor: Casa Xalixco, S.A. de C.V.
Venezuela 425, Col. Americana,
44600, Guadalajara, Jalisco
T. 52 (33) 3826 8070 / **F.** 52 (33) 3827 0249
ventas@casaxalixco.com.mx / www.casaxalixco.com.mx
Marcas / Brands: Xalixco; Purasangre; Cimarrón; 3, 4 y 5; Compadre; Zapata; Lapis; Don Fulano; La Paloma; Maya Imperial; Asombroso; Visitante.

Tequilera Cabo Wabo, S.A.
Vicente Guerrero s/n, Col. Centro,
23410, Cabo San Lucas, Baja California Sur

T. 52 (624) 143 1188 / **F.** 52 (624) 143 1198
marco@cabowabo.com / www.cabowabo.com
Marcas / Brands: Cabo Wabo, Cabo Wabo Cantina.

Tequilera Corralejo, S.A. de C.V.
Ex Hacienda Corralejo s/n, Col. Estación,
Corralejo, 36921, Pénjamo, Guanajuato
T. 52 (469) 696 4104 / **F.** 52 (469) 696 4106
www.tequilacorralejo.com.mx
Marcas / Brands: Pico de Gallo, Corralejo, Don Leoncio, Los Arango, Pitiao, La Cucaracha, Pénjamo, Tequifresa, Leyendas de Guanajuato, Tex Mex, Tequila Campanero, Quita Penas, Quetzalcóatl Toltech, Don Cayetano, Capa y Espada, Gran Corralejo, Triple Destilado.

Tequilera de la Barranca de Amatitán, S.A. de C.V.
Pichón 1356, Col. Morelos, 44190, Guadalajara, Jalisco
T. 52 (33) 3124 4055 / **F.** 52 (33) 3811 2395
info@tequilamitierra.com.mx / www.tequilamitierra.com.mx
Marcas / Brands: Batallón, Gran Batallón, Don Fernando, Mi Tierra, La Cantina, La Fogata, Pancho Bravo.

Tequilera del Salto, S.A. de C.V.
Calle A 12-B, Col. Parque Industrial, 45681,
El Salto, Jalisco / **T.** 52 (33) 3688 1455 y 3122 1283
susana@tequiladelsalto.com
Marcas / Brands: Azabache, El Gallero, El Refugio del Pueblo.

Tequilera Don Roberto, S.A. de C.V.
Carretera Internacional 100 Oriente, La Escondida,
46400, Tequila, Jalisco
T. 52 (374) 742 2321, 742 1102 y 742 1109
info@tequiladonroberto.com
Marcas / Brands: La Arenita, Don Roberto, Antiguo Tequilero, Juanito, Huizache.

Tequilera El Triángulo, S.A. de C.V.
Calzada Madero y Carranza 418, Col. Centro,
49000, Ciudad Guzmán, Jalisco
T. 52 (341) 413 5508 y 413 5518
cecilia.corona@tequileraeltriangulo.com
direccion@tequileraeltriangulo.com
www.tequileraeltriangulo.com
Marcas / Brands: Penacho Azteca, Amatitán, Gran Rancho Escondido, Alma Azteca, Generación Rebelde.

Tequilera La Candelaria, S.A. de C.V.
Lázaro Cárdenas 270, Col. Altamira,
45350, El Arenal, Jalisco
T. / F. 52 (374) 748 1017
jaureguimarco@prodigy.net.mx
www.tequiladonvalente.com
Marcas / Brands: Don Valente, Tiquilito-Uf.

Tequilera La Gonzaleña, S.A. de C.V.
Camino Santa Fe s/n km 1, Col. Industrial,
89700, Villa González, Tamaulipas
T. 52 (55) 5531 8826 / **F.** 52 (55) 5531 5104
chinaco@prodigy.net.mx
www.chinacotequila.com
Marcas / Brands: Chinaco.

Tequilera La Primavera, S.A. de C.V.
Tabasco 36, Col. Centro, 46400, Tequila, Jalisco
T. / F. 52 (374) 742 0212 y 742 0242
teprimavera@hotmail.com
laprimaveratequilera@prodigy.net.mx
www.fabricaarenito.com
Marcas / Brands: Montelargo, Trocadero, Vega Rica.

Tequilera Newton e Hijos, S.A. de C.V.
Ruperto Salas 168, Col. Benito Juárez
45190, Zapopan, Jalisco
T. 52 (33) 3660 9191
F. 52 (33) 3660 2945
fnewton@tequileranewton.com
www.tequileranewton.com.mx
Marcas / Brands: El Destilador, Especial Newton, Los Corrales, Newton, La Puerta Negra, Tierra Azteca.

Tequilera La Noria, S.A. de C.V.
Carretera Etzatlán km 5,
45310, Tala, Jalisco
T. / F. 52 (384) 738 0691
jaime_landeros_varela@hotmail.com
Marcas / Brands: Oro de Jalisco.

Tierra de Agaves, S. de R.L. de C.V.
Carretera 15 Internacional
Guadalajara-Nogales km 52.5,
46400, Tequila, Jalisco
T. / F. 52 (374) 742 2591 y 742 2592
jfernandez@tierradeagaves.com
www.tierradeagaves.com
Marcas / Brands: La Certeza, Lunazul.

Unión de Productores de Agave, S.A. de C.V.
Melchor Ocampo 18, Col. Centro,
16400, Tequila, Jalisco
T. / F. 52 (374) 742 1600
updeagave@prodigy.net.mx
Marcas / Brands: El Labrador, El Gran Jubileo, La Alborada.

Vinos y Licores Azteca, S.A. de C.V.
Rinconada del Geranio 3544-1A,
Col. Rinconada Santa Rita,
45120, Zapopan, Jalisco
T. 52 (33)1057 6440, 1057 3700 y 1057 3647
F. 52 (33) 3817 5616
ceo@vinosylicoresazteca.com
tequilarazazteca@hotmail.com
www.vinosylicoresazteca.com
Marcas / Brands: El Conde Azul, Raza Azteca, Blacky, La Condesa.

Glosario / Glossary

KEYSTONE

Abocado. Procedimiento mediante el cual se suaviza el sabor del tequila por medio de caramelo, extracto natural de roble o encino, y otros ingredientes que no excedan el 1% del peso total del tequila sin envasar.

Agave sazón. Agave madurado. La maduración tarda entre ocho y doce años.

Agave *deserti*. Los rancheros de Baja California preparan su bebida regional a partir de este agave cuyas hojas apenas llegan a treinta centímetros de largo.

Agave *potatorum*. Bacanora, el mezcal de Sonora, proviene de esta planta.

Agave *Tequilana Weber* de variedad azul. Forma parte de un grupo especial de agaves que es fácil reconocer y es la materia prima del tequila. La planta tiene hojas largas, angostas, delgadas y rígidas. Su color es azuloso glauco.

Alambique. Aparato de presión utilizado para la destilación del tequila.

Alquitara. Destilación lenta.

Anovillarse. Cuando el maguey comienza a madurar y se reduce donde nacen las hojas nuevas.

Autoclave. Aparato en el que se realiza la cocción de las piñas de agave. Anteriormente este proceso se hacía en hornos de mampostería.

Bagazo. Residuos prodecentes de la molienda del agave fermentado.

Barbeo. Podar o despuntar las hojas o pencas del agave. Se cree que el barbeo es una especie de poda que hace aumentar la cabeza o tallo del maguey.

Barbeo de escobeta. Barbeo que induce a una maduración prematura de la planta.

Barrica. Recipiente de madera en el que se almacena el tequila.

Batidor. Peón que se introduce desnudo a las tinas y bate con pies y manos los mostos para desfibrar las pencas machacadas.

Botija. Envase de barro, panzudo, de cuello estrecho y corto. Se producía con cuero de chivo. Siete botijas equivalen a un barril. Es una medida para el medio menudeo.

Caballito. Vaso tradicional en el que se sirve el tequila.

Chicotuda. Planta del agave cuyo aspecto es poco vigoroso, como si estuviese vieja y cansada.

Chinguirito. Aguardiente nacional de caña y mezcal que en los siglos XVIII y XIX era considerado de mala calidad.

Coa de jima. Herramienta para la cosecha, también hay otra para limpiar maleza con la punta más triangular, en vez de redonda y filosa.

Cogollo. Apéndice que se encuentra en la parte superior de la piña y que nace del mesonte o mezontle. Es el lugar de nacimiento del agave.

Colas. Última parte del destilado que es eliminada junto con las cabezas en tequilas de alta calidad.

Condensador. Especie de serpentina de metal donde se condensan los vapores que se han desprendido durante la destilación.

Damajuana. Unidad comercial al menudeo hecha de vidrio, forrada de mimbre, barriguda y con asas. Las damajuanas contenían 32 litros, la misma capacidad de un barril.

Desquiote. Cuando se corta la flor del agave a fin de que la planta no muera.

Destilación. Proceso mediante el cual se extraen del jugo fermentado los alcoholes que constituyen el aguardiente.

Fermentación. Proceso para transformar en alcoholes etílicos los azúcares contenidos en el jugo.

Hervidor. En ciertas calderas, el tubo donde hierve el agua.

Hijuelo. Pequeño mezcal que nace al pie del agave y que se arranca cuando tiene un año de edad, quitándole las raicillas de

Abocado. *A procedure by which a tequila's flavor is mellowed with the addition of caramel, natural oak or holm oak extracts and other ingredients, which cannot exceed one percent of the tequila's total weight prior to bottling.*

Agave sazón. *A mature or ripe agave plant, from eight to twelve years old.*

Agave deserti. *A variety of agave whose leaves reach only thirty centimeters in length. Ranchers in Baja California use it to prepare a regional liquor.*

Agave potatorum. *A variety of agave used to make the mezcal of Sonora, known as* bacanora.

Agave tequilana Weber, *blue variety*. *A variety of agave that is highly recognizable for its long, narrow and rigid fleshy leaves that are bluish green in color. It is the main ingredient in tequila.*

Alambique. *Alembic; a pressurized device for distilling tequila.*

Alquitara. *Slow distillation.*

Anovillarse. *Said of the time when the maguey begins to ripen and new leaf growth is cut back.*

Autoclave. *A pressurized apparatus where the agave hearts are cooked. This used to be done in stone ovens.*

Bagazo. *Bagasse; the pulpy residue formed when the fermented agave is ground.*

Barbeo. *Pruning or cutting the tips off the agave's fleshy leaves. This is believed to increase the size of the maguey's head or stem.*

Barbeo de escobeta. *Pruning to induce the plant's premature ripening.*

Barrica. *A wooden cask used to store tequila.*

Batidor. *A laborer who enters the vats nude and uses his feet and hands to beat the must in order to separate the fibers from the crushed agave.*

Botija. *A potbellied clay container with a short, narrow neck. In the past, these were made from goatskin, and seven* botijas *equaled a barrel. It is a common measurement for bulk sales.*

Caballito. *The glass in which tequila is traditionally served.*

Chicotuda. *An agave plant that does not look healthy and vigorous, but rather, old and tired.*

Chinguirito. *Regional liquors made from sugarcane or mezcal during the eighteenth and nineteenth centuries, widely considered to be poor in quality.*

Coa de jima. *A sharp, rounded tool used for harvesting agave. A similar tool with a triangular tip is used to clear weeds from the field.*

Cogollo. *The shoot that sprouts from the top of the agave piña.*

Cola. *"Tail;" The last part of the distillate, which in good tequilas is discarded, as is the* cabeza *("head"), the first part of the distillate.*

Condensador. *A coiled metal condenser that collects the vapors emitted during distillation.*

Damajuana. *Demijohn, a potbellied glass bottle with handles, enclosed in wickerwork; a commercial unit of measurement equivalent to thirty-two liters.*

Desquiote. *Cutting the flower stalk from the agave to prevent the plant's death.*

Destilación. *Distillation; the process by which the alcohol is extracted from the fermented juice of the agave to make liquor.*

Fermentación. *Fermentation; the process by which the sugars from the agave are transformed into ethyl alcohol.*

Hervidor. *Boiler; in certain vats, a tube where the water is boiled.*

Hijuelo. *Offshoot, baby; a small agave plant that sprouts from the base of the parent plant and which is pulled out after one year, removing the rootlets from the piña. At that age, the tiny piña is about the size of an orange. It is also called a semilla or seed.*

Huachicol. *A beverage with added alcohol, usually sugar cane alcohol.*

la cabeza. A esa edad las pequeñas piñas tienen el tamaño de una naranja común. También se le llama semilla.

Huachicol. Bebida adulterada con alcohol, principalmente de caña.

Jima. Operación de cortar totalmente las hojas del agave y de arrancar la piña del suelo.

Jimador. El que realiza la jima.

Limpia. Proceso que consiste en quitar la hierba y remover del terreno el pie de cada agave por medio de la coa dejando un espacio limpio de vara y media de ancho (1.272 cm).

Mano larga. Agave de mayor tamaño que los otros, cuyas hojas son más erguidas y de color más verde.

Marrana. Bagazo seco de mezcal.

Melgas. El terreno que queda entre surco y surco para sembrar maíz y frijol cuando el agave es aún muy pequeño.

Metepan. Fila de agaves.

Mixiote. Recubrimiento de las pencas de agave.

Mezontle, mesonte. Corazón de la piña del agave. Tiene una textura granular.

Mezcal. Bebida regional obtenida de agaves, similar al tequila.

Mezote. Agave seco.

Mosto. Zumo del agave u otras frutas que produce alcohol mediante fermentación.

Nitzicuile. Gusano que destruye la raíz del agave.

Palenque. Agujero no muy profundo con paredes de piedra en el que se cocían las piñas de agave.

Paloma. Plaga que corroe las pencas del mezcal.

Pencas. Las hojas del agave.

Perla o concha. Burbuja que se mantiene en la superficie del tequila después de servirlo o agitarlo.

Picador. Persona encargada del desquiote de los agaves.

Piña. El corazón del agave que se aprovecha para la producción del tequila. Es la parte del agave que contiene los azúcares. Está formada por el tallo y la base de las hojas.

Pipón. Depósito de madera con capacidad para ochenta barriles o 5 280 litros, aunque los hay de otros tamaños.

Potrero. En Tequila se llama así a las plantaciones de agave. También se les conoce como trenes, ranchos o huertos.

Punta. Primera fase de la primera destilación del tequila.

Quiote. Vara que nace del cogollo del maguey, la flor del maguey. Cuando se corta y se cuece o se tatema entera, puede comerse porque además de tener nutrientes posee sabor dulce.

Taberna. Fábrica de tequila. Tienda donde se vende tequila al menudeo.

Tahona. Espacio circular de cantería donde se mueve una pesada piedra en forma de rueda que gira sobre un eje, ayudada por una yunta. La piedra machaca la pulpa del agave para convertirla en una pasta que se diluye en agua para darle la consistencia necesaria para la fermentación.

Tatemar. Acto de cocer la piña del agave para que en ella se concentren las mieles que luego se fermentarán y destilarán.

Tequio. Tarea. Se piensa que la palabra tequila proviene de este término.

Tequila cortado. Cuando el tequila, al ser agitado dentro de la botella, no produce la perla o concha que los conocedores exigen.

Tequila de hornitos. Se fabrica en una vasija de cobre con la tuba. La vasija se tapa con un pedazo de tabla de madera, cubriendo las rendijas con arcilla; el condensador es un serpetín de madera.

Tonel. Depósito de madera para transportar líquidos. Medida antigua equivalente a 833 kg.

Tuba. Tequila recién salido del alambique con sabor dulzón.

Jima. *Harvesting; removing the fleshy leaves from the agave and pulling the piña from the ground.*

Jimador. *Harvester; the individual who carries out the jima.*

Limpia. *Cleaning; removing the weeds and stirring up the soil at the foot of the agave with a coa, clearing a space about a yard and a half wide around each plant.*

Mano larga. *"Longhand;" a large species of agave whose leaves are more erect and greener in color.*

Marrana. *Dried bagasse of the maguey.*

Melgas. *The terrain between rows of agaves, used to sow corn and beans when the agave plants are still small.*

Metepan. *Row of agaves.*

Mixiote. *The skin of the agave leaves.*

Mezontle, mesonte. *The heart of the agave piña. It has a granular texture.*

Mezcal. *A regional liquor similar to tequila, made from different species of agave.*

Mezote. *Dried agave.*

Mosto. *Must; the juice and pulp of the agave or any fruit that is fermented to make alcohol.*

Nitzicuile. *A worm or grub that attacks the agave root.*

Palenque. *A shallow hole in the ground with stone walls, traditionally used to bake the agave piñas.*

Paloma. *"Pigeon;" a blight that eats away at the agave leaves.*

Perla, concha. *"Pearl" or "shell;" the bubble remaining on the surface of tequila after serving or shaking it.*

Picador. *The laborer responsible for the desquiote of the agave.*

Piña. *"Pineapple;" the heart of the agave, used to make tequila. It is the part of the plant where the sugars are stored and consists of the stem and the leaf bases.*

Pipón. *"Potbelly;" a wooden receptacle, usually with a capacity for eighty barrels, or 5280 liters, though they can also come in other sizes.*

Potrero. *"Pasture;" in Tequila, the name given to an agave plantation. Also known as a* tren *(train),* rancho *(ranch) or* huerto *(orchard).*

Punta. *"Point;" the first tequila to emerge from the still.*

Quiote. *The stalk that grows from the* cogollo *of the maguey; the maguey flower. After cutting, it can be boiled or roasted whole and eaten. It has a sweet flavor and is high in nutrients.*

Taberna. *"Tavern;" a tequila distillery or a store that retails tequila.*

Tahona. *A circular space lined with stone, around which a heavy grindstone in the form of a wheel is rolled with the help of a team of oxen or other work animals. The grindstone crushes the agave pulp, converting it into a paste that is diluted with water to give it the right consistency for fermentation.*

Tatemar. *Roasting the agave piña to concentrate the sugars that will later be fermented and distilled.*

Tequila cortado. *"Cut tequila;" tequila which, when its bottle is shaken, does not produce the* perlas *or bubbles which connoisseurs take to be the mark of a fine tequila.*

Tequila de hornitos. *A tequila that is elaborated from* tuba *in a copper vat. The vat is covered by wooden planks, and the cracks between them are filled with clay. The condenser is a wooden coil.*

Tequio. *Work; the term "tequila" is thought to derive from this word of indigenous origin.*

Tonel. *A wooden recipient used to transport liquids; also, an old measurement equivalent to 833 kilograms.*

Tuba. *Tequila straight from the still; it has a sweet flavor.*

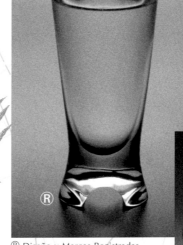

Tequilibrio

Ingredientes:

- *Hielo frappé*
- *14 ml de jarabe natural*
- *14 ml de jugo de limón*
- *28 ml de tequila*
- *Refresco de toronja*
- *Jugo de toronja*

Preparación:

Servir todos los ingredientes en un vaso tequilero escarchado con sal.

Queso fundido al tequila

Ingredientes:

- *1/4 de taza de cilantro*
- *1/2 cebolla chica*
- *1 jitomate bola*
- *2 cucharaditas de mantequilla*
- *2 caballitos de tequila (uno para la receta y otro para usted)*
- *1/2 kg de queso gouda rallado*
- *1/2 kg de queso oaxaca rallado*

Preparación:

Picar la verdura y freírla en la mantequilla. Agregar los quesos previamente rallados. Verter el tequila y flamear.

Servir con tortillas de harina.

Joel Rendón, *El agave que no dio tequila*, 1994. Grabado en linóleo.

Joel Rendón, *La suerte bigotona*, 1994. Grabado en linóleo.

Esta cata de tequila procede de la destilería *Artes de México.* Ha sido elaborada con una delicada combinación entre papel Magno Matt de 135 gramos y tipografía de las Familias Snell English, Myriad Pro y Rayuela, esta última diseñada por Alejandro Lo Celso. A esto se suma su proceso de añejamiento en las barricas de Transcontinental Reproducciones Fotomecánicas, S.A. de C.V. Su envase de lujo estuvo a cargo de Encuadernadora Mexicana, S.A. de C.V. Fue puesta en circulación en octubre de 2007.